As mais belas preces a Maria

PE. JOSÉ ALEM
Organização e seleção de textos

As mais belas preces a Maria

EDITORA
SANTUÁRIO

DIREÇÃO EDITORIAL:
Pe. Fábio Evaristo Resende Silva, C.Ss.R.

CONSELHO EDITORIAL:
Avelino Grassi
Ferdinando Mancilio
Marlos Aurélio
Mauro Vilela
Victor Hugo Lapenta

COPIDESQUE:
Luana Galvão

REVISÃO:
Ana Lúcia de C. Leite

DIAGRAMAÇÃO E CAPA:
Junior dos Santos

COORDENAÇÃO EDITORIAL:
Ana Lúcia de Castro Leite

**Dados Internacionais de Catalogação na Publicação (CIP)
(Câmara Brasileira do Livro, SP, Brasil)**

Alem, José
    As mais belas preces a Maria / organização e seleção de textos José Alem. – Aparecida, SP: Editora Santuário, 2017.

    ISBN 978-85-369-0473-3

    1. Maria, Virgem, Santa 2. Maria, Virgem, Santa – Livros de oração 3. Maria, Virgem, Santa – Meditações I. Título.

16-09122   CDD-232.91

Índices para catálogo sistemático:

1. Maria, Mãe de Jesus: Devoção: Cristianismo
232.91

1ª impressão

Todos os direitos reservados à **EDITORA SANTUÁRIO** — 2017

Rua Padre Claro Monteiro, 342 — 12570-000 — Aparecida-SP
Tel: 12 3104-2000 — Televendas: 0800 16 00 04
www.editorasantuario.com.br
vendas@editorasantuario.com.br

EPÍGRAFE

"Quando Deus iniciou seu plano de criação e redenção, decidiu realizar um pacto de Amor com a Humanidade. Para isso Ele estabeleceu um diálogo com uma mulher ligando à liberdade dela o destino do homem. Eva e Maria: queda e redenção! Em Maria, Deus revela à Humanidade como ele deseja a sua criação redimida e renovada. Dá novamente ao mundo uma mãe, modelo sempre próximo de cada ser humano. Inventa Maria, uma criatura, uma mulher tão grande que, não podendo torná-la Deus, a fez mãe de Deus."

Chiara Lubich

INTRODUÇÃO

"A vida cristã consiste em seguir a Cristo" (João Paulo II. *Catechesi Tradendae*, 5). "Seguir Cristo significa aprender a pensar melhor como Ele, a julgar como Ele, a atuar de acordo com seus mandamentos, a esperar como Ele nos convida a fazê-lo." Isto significa: "desenvolver compreensão do mistério de Cristo à luz da Palavra, para que o homem todo seja impregnado por Ele" (idem, 20).

Jesus insiste, em seu Evangelho, com os que o seguem: "Vós sois meus amigos, se praticais o que vos ordeno" (Jo 15,14). E também: "Felizes os que ouvem a palavra de Deus e a observam" (Lc 11,28). Essas exigências de Jesus Cristo se repetem de formas diferentes por todo o Evangelho. Ser discípulo de Jesus significa viver segundo sua Palavra, segundo seus mandamentos, que não são meras leis ou códigos, mas expressão dos valores humanos e divinos, que possibilitam viver o mistério da vida em sua plenitude.

Essas exigências contêm verdades que levam a consequências impensadas, que, nem sempre, nós cristãos, e mesmo os que procuram se aproximar de Cristo, temos bem presente: reevangelizar-nos, viver todos os ensinamentos do Evangelho é a mais profunda, íntima, segura revolução que hoje a humanidade necessita. Por isso, "a Igreja convida a todos a transformar suas mentes e seus corações segundo a escala de valores do Evangelho" (Puebla 148).

"Tanto a hierarquia como o laicato e os religiosos vivamos numa contínua autocrítica, à luz do Evangelho, em nível pessoal, grupal e comunitário, para nos despojarmos de qualquer atitude que não seja evangélica e desfigure a fisionomia de Cristo. Esta é a nossa primeira opção pastoral: a própria comunidade cristã, seus leigos, seus pastores, seus ministros e seus religiosos devem converter-se cada vez mais ao Evangelho" (Puebla, 972-973).

Maria é apresentada pela Igreja como Mãe e modelo de cada cristão, da Igreja e da humanidade. É assim que a Igreja, desde o Concílio Vaticano II e nos posteriores ensinamentos, tem transmitido e insistido para reconhecer o verdadeiro lugar e missão da Igreja junto ao povo de Deus.

Maria, porém, não é um modelo exterior e distante. Sendo mãe gloriosa no céu, atua na terra (Puebla, 288). Ela é ao mesmo tempo modelo e modeladora: enquanto peregrinamos, Maria será a Mãe e a educadora da fé (LG 63). Ela cuida para que o Evangelho nos penetre intimamente, plasme nossa vida de cada dia e produza em nós frutos de santidade. Ela precisa ser cada vez mais a pedagoga do Evangelho na América Latina (Puebla, 290). Por isso, a Igreja, que deseja evangelizar, não de maneira decorativa, como um verniz superficial (*Evangeli Nuntiandi* 20), mas no fundo, na raiz, na cultura do povo, volta-se para Maria para que o Evangelho se torne mais carne, mais coração na América Latina (Puebla, 303).

O "caminho de Maria" foi um constante dizer sim à vontade de Deus. O dizer sim à vontade de Deus é o verdadeiro amor de Deus e a perfeição cristã, que Maria viveu como expressão fiel de sua vida totalmente voltada a Ele. Maria deu seu sim a esse desígnio de amor. Aceitou-o livremente na anunciação e foi fiel à palavra dada até o martírio do Gólgota. Foi fiel companheira do Senhor em todos os caminhos. A maternidade divina levou-a a uma entrega total. Foi uma doação generosa, cheia de lucidez e permanente (Puebla, 292). Por sua fé é a Virgem fiel. Se olharmos para a figura viva de Maria, vemo-la toda de Cristo e, com Ele, toda servidora dos homens. Maria é a pessoa que crê por excelência, em quem resplandece a fé como dom, abertura, resposta e fidelidade (idem, 294). Maria é a discípula de seu próprio Filho, pois vive o Evangelho em todas as circunstâncias em que descreve a Sagrada Escritura.

Todo o serviço que Maria presta aos homens consiste em abri-los ao Evangelho e convidá-los a obedecer-lhe: "Fazei o que vos disser" (Jo 2,5) (Puebla, 300). Porque soube acolher sua palavra e pô-la em prática; porque sua ação foi animada pela caridade e pelo espírito de serviço; em suma, Ela foi a primeira e a mais perfeita discípula de Cristo (*Marialis Cultus* 35).

Toda a vida de Maria é um catecismo vivo (*Catechesi Tradendae* 3-7). Se a devoção a Maria não nos leva a imitá-la, se não for uma porta que nos leva a Jesus, a viver o Evangelho, então não é suficientemente cristã. Portanto, uma função decisiva de Maria no cristianismo consiste em que se evite o risco de limitar-nos a saber, pensar, estudar as verdades cristãs. Maria nos leva a vivê-las. Por isso a Igreja ensina que sem Maria o Evangelho fica desencarnado, desfigura-se e transforma-se em ideologia, em racionalismo espiritualista (Puebla, 301).

Maria é Mestra, e talvez erramos por não tê-la seguido. Como Maria, seria necessário sermos capazes de nos calar: fazer silenciar nossos pensamentos e nossos desejos, fazermo-nos vazios nos encontros com os outros, vivendo seu silêncio de amor diante de Deus e de cada próximo, para formarmos juntos o regaço acolhedor de Maria, único lugar em que pode ser concebida e nascer a palavra de Deus. Assim permitimos

Deus se revelar, além de nossas ideias e sentimentos, além de nossos conceitos e opiniões. Deus simplesmente se revelaria como Ele é e nós o conheceríamos assim.

O silêncio interior, vivido na unidade, é uma condição para o ser humano entrar em contato consigo, com o mistério da existência, com o mistério revelado de Deus. Silêncio não para fugir dos problemas dos homens, mas sim para conhecê-los mais profunda e largamente, amá-los mais, criando a condição indispensável para que Deus possa exprimir, inteligivelmente, sua palavra, que ilumina cada ser humano com suas aspirações e seus problemas.

Conhecer Deus é o grande anseio de cada ser humano, de cada cultura, de cada raça. E Maria, com seu exemplo, inspira e ilumina a todos. Ela, totalmente humana. Ela, totalmente revestida do amor.

José Alem
Em honra e gratidão a Maria

A ORAÇÃO

Respiro da alma, oxigênio para toda a nossa vida espiritual, expressão de nosso amor a Deus, combustível para cada uma de nossas atividades.

A oração é essencial para o homem, para o próprio ser do homem...

Pois ele foi criado à imagem de Deus. Isso significa que lhe é possível colocar-se diante de Deus – claro que ele está diante de seu criador na condição de criatura, mas, ao mesmo tempo, também como um "tu" de Deus, o homem está em condições de estabelecer um relacionamento com Deus, de estar em comunhão com Ele.

Que a vocação do homem para a oração é algo fundamental fica evidente quando verificamos este aspecto nas pessoas das mais variadas religiões. Para todas elas, é instintivo dirigir-se a Deus ou a um ser supremo.

Chiara Lubich

A ORAÇÃO A MARIA

O panorama desta humilde e profunda plenitude cristã levanta nosso pensamento até Maria Santíssima, até aquela que perfeita e maravilhosamente o refletiu, integrou-o em sua vida terrena e, agora, em consequência, goza no céu a luz plena e a bem-aventurança.

Floresce hoje, na Igreja, graças a Deus, o culto a Nossa Senhora. E nós, nesta ocasião, pensamos nele, admirados; na Virgem Santíssima, Mãe de Cristo e, por isso, Mãe de Deus e Mãe nossa, o modelo da perfeição cristã, o espelho das virtudes sinceras e a maravilha mais sublime da humanidade.

O culto a Maria é forte de ensinamentos evangélicos. Sendo ela a criatura mais abençoada, mais doce e mais humilde, a imaculada, a quem tocou o privilégio de oferecer ao Verbo de Deus um corpo humano em sua primitiva e inocente beleza, nós quisemos, em nossa peregrinação à Terra Santa, que ela nos ensinasse a autenticidade cristã. E agora, de novo, dirigimos-lhe os olhares suplicantes, como amorosa mestra de vida, no momento em que estamos tratando da regeneração espiritual e moral da vida da Santa Igreja.

Paulo VI, Encíclica *Ecclesiam Suam*

DEUS PRECISOU DE TI
Poema de Pedro Casaldáliga

Para não ser só Deus,
Deus precisou de Ti.
Tua carne fez dele um Homem!
E Tu disseste sim,
para não ser menina somente!

Para não ser só vida,
Deus precisou de Ti,
a carne que te leva à morte.
E Tu disseste sim,
para não ser mãe somente!

E para ser a Vida eterna,
Deus precisou de Ti,
a carne que ressuscita.
E Tu disseste sim,
para não ser tempo somente!

Dizer teu nome, Maria,
é dizer que todo nome
pode ser cheio de graça.

Dizer teu nome, Maria,
é dizer-te toda Tua
Causa da nossa alegria!

Dizer teu nome, Maria,
é dizer que todo nome
pode ser cheio de graça.

Dizer teu nome, Maria,
Maria de nossa Libertação!
Foi difícil escolher, mas soubeste fazê-lo.

À VOSSA PROTEÇÃO
Sub tuum praesidium

É a mais antiga oração que se conhece dirigida a Nossa Senhora. Foi encontrada em um papiro, entre as areias do Egito, no começo do século XX, mas só foi publicada em 1938. O original está em grego. Os especialistas consideram que o papiro data do século III.

Texto original:
Sob a tua proteção, nós nos refugiamos, Mãe de Deus. As nossas súplicas não recuses nas necessidades, mas livra-nos do perigo, tu só, a casta, a bendita.

Texto litúrgico:
Sob a vossa proteção, nós nos refugiamos, Santa Mãe de Deus. Não desprezeis as nossas preces em nossas necessidades, mas livrai-nos sempre de todos os perigos, Virgem gloriosa e bendita.

Texto popular:
À vossa proteção recorremos, Santa Mãe de Deus. Não desprezeis as nossas súplicas, em nossas necessidades, mas livrai-nos sempre de todos os perigos, ó Virgem gloriosa e bendita.

Versão popular antiga:
À sombra de tua misericórdia nos refugiamos, ó Mãe de Deus! Não ignores nossas súplicas em meio às tentações, mas livra-nos dos perigos. Ó toda pura, toda bendita!

Versão popular adaptada:
Ao abrigo de vossa misericórdia nos refugiamos, ó Mãe de Deus! Não desprezeis nossa oração, mas livrai-nos dos perigos, vós que sois única, bendita e casta.

AVE-MARIA
Forma antiga
Provavelmente entre os séculos VII e XV

Ave, Maria, cheia de graça, o Senhor está contigo, assim como o Espírito Santo.
Os sacerdotes revestir-te-ão de justiça
e teus devotos exultarão de alegria!
Por causa de Davi, teu servo,
Senhor, salva teu povo, Senhor,
e abençoa tua herança.

A gloriosa Virgem, salve, cheia de graça!
O Senhor está contigo; és bendita entre as mulheres
e bendito é o fruto do teu seio:
Concebeste o Cristo, Filho de Deus,
o Redentor de nossas almas.

AVE-MARIA

Forma atual

A Ave-Maria chegou à sua forma atual em 1568, com a reforma litúrgica do Papa Pio V.

Ave, Maria, cheia de graça,
o Senhor é convosco.
Bendita sois vós entre as mulheres,
e bendito é o fruto do vosso ventre, Jesus.

Santa Maria, Mãe de Deus,
rogai por nós, pecadores,
agora e na hora da nossa morte,
Amém.

DO OFÍCIO DE NOSSA SENHORA

Deus vos salve, Virgem, Filha de Deus Pai!
Deus vos salve, Virgem, Mãe de Deus Filho!
Deus vos salve, Virgem, Esposa do Espírito Santo!
Deus vos salve, Virgem, Templo e Sacrário da Santíssima Trindade!
Agora, lábios meus, dizei e anunciai
os grandes louvores da Virgem Mãe de Deus.
Sede em meu favor, Virgem Soberana,
livrai-me do inimigo com o vosso valor.
Glória seja ao Pai, ao Filho e ao Amor também,
que é um só Deus, em três pessoas,
agora e sempre.
Amém.

LADAINHA DE SANTO EFRÉM

Santo Efrém, o Sírio, 306-373

Alegra-te, canto dos querubins e louvor dos anjos,
alegra-te, paz e alegria do gênero humano,
alegra-te, paraíso de delícias,
alegra-te, amparo dos fiéis
e porto dos que se encontram em perigo.

Alegra-te, réplica de Adão,
resgate de Eva, alegra-te!
Alegra-te, fonte da graça e da imortalidade.
Alegra-te, fonte à sombra do Espírito Santo.

Alegra-te, templo de Deus,
alegra-te, trono do Senhor,
alegra-te, ó toda imaculada,
que esmagaste a cabeça do dragão,
o malvado por excelência,
e no abismo o lançaste.

Alegra-te, nosso refúgio,
alegra-te, resgate da maldição.
Alegra-te, ó Mãe de Cristo,
Filho do Deus único,

ao qual convém glória, honra,
adoração e louvor,
agora, sempre e em toda a parte,
pelos séculos sem-fim. Amém!

HINO À VIRGEM MARIA
São João Crisóstomo, 344-407

O anjo entra na casa da Virgem
e, adiantando-se, diz-lhe sereno:
"Alegra-te, cheia de graça!"
E interpela a serva qual senhora,
como se já fora a Mãe de Deus:
"Alegra-te, cheia de graça!"

A primeira de teus ancestrais,
Eva, rebelde, granjeou sentença
de dar à luz seus filhos na dor!
No entanto a ti, o anúncio do anjo
convida à alegria e ao regozijo!

De Eva nascerá Caim
e com ele põe no mundo a inveja e a morte.
Ao inverso, tu pões no mundo um filho,
que a todos traz a vida e a incorruptibilidade.

Alegra-te, pois, e rejubila,
esmaga da serpente a cabeça;
alegra-te, ó cheia de graça!

Porque a maldição já acabou
e a corrupção dissipou-se.
A tristeza se esvaiu, floriu a alegria.
Realizou-se a bondade anteriormente
predita pelos profetas.
O Espírito Santo anunciara,
falando com a boca de Isaías:

Eis que a Virgem concebeu um filho,
do seio o dará à luz do mundo (Is 7,14).
Essa Virgem és tu!
Alegra-te, pois, ó cheia de graça!

Choveste aquele que o mundo forma,
choveste aquele que tudo fez.
Aljofraste em terra o Criador,
choveste aquele que se sacia de beleza.

Achaste esposo tal que protege,
que não destrói a tua virgindade,
achaste um esposo que, em razão
do grande amor que teve por nós,
tornou-se teu filho.

O Senhor é contigo e em ti!
Aquele, que está em toda a parte.
Ele está contigo, está em ti,
aquele, que é no céu soberano,
que é, nas profundezas, o Santíssimo,
que, em toda a criação, é o Demiurgo,
que é o Criador sobre os querubins,

guia do mundo sobre os serafins;
Filho, que está no seio do Pai,
Filho único, que está no teu seio, ó Senhora,
De um modo que só ele conhece,
Todo em toda a parte e todo em ti!

Tu és abençoada entre todas as mulheres!
Merecedora única, tu foste
digna de hospedar um tal senhor;
voluntariamente, contiveste
aquele que nada pode conter!

Porque acolheste quem enche tudo
e te tornaste o lugar puríssimo,
no qual se realiza a salvação;
porque na entrada do nosso Rei na vida,
foste a santíssima carruagem
e te fizeste o escrínio do Espírito Santo.
Bendita és entre todas as mulheres…

ORAÇÃO À SANTÍSSIMA MÃE DE DEUS
Santo Efrém, séc. IV

Santíssima Senhora, Mãe de Deus, única puríssima na alma e no corpo, única para além de toda a pureza, de toda a castidade, de toda a virgindade, única morada de toda a graça do Espírito Santo...

Lançai os olhos sobre mim, culpado, impuro, manchado na alma e no corpo, com os vícios da minha vida apaixonada e volutuosa; purificai o meu espírito das minhas paixões; santificai e corrigi os meus pensamentos errantes e cegos; governai e dirigi os meus sentidos; livrai-me da detestável e infame tirania das inclinações impuras; destruí dentro de mim o império do pecado; ao meu espírito entenebrecido e miserável concedei a sabedoria e o discernimento para me corrigir das minhas faltas e quedas e, assim, livre das trevas do pecado, seja digno de vos glorificar e cantar com liberdade, a vós, única verdadeira Mãe da verdadeira luz, Cristo, nosso Deus.

HINO À MÃE DE DEUS
Sinésio de Cirene, padre da Igreja do Oriente, † 414

Nós te saudamos, Maria Mãe de Deus,
Tesouro venerado por todo o universo,
Luz que não se extingue mais,
Coroa das virgens, cetro da verdade segura,
Templo indestrutível, morada de quem não tem teto,
nós te saudamos: em teu seio, Virgem, abrigaste o infinito!
Graças a ti, a Trindade Santa é adorada e glorificada;
a cruz preciosa, celebrada e adorada no mundo inteiro.
Graças a ti, o universo inteiro, seduzido pelos ídolos,
chegou a conhecer a verdade e o batismo sagrado!
Graças a ti, sobre todo o orbe da terra, elevam-se igrejas
e as nações pagãs caminham para a conversão.
O que dizer ainda?
Graças a ti, o Filho único de Deus fez brilhar sua claridade
entre os que se achavam nas trevas,
à sombra da morte!
Graças a ti, os profetas profetizaram, os apóstolos anunciaram
a salvação às nações!
Graças a ti, os mortos ressuscitam, os reis governam,
por causa da Trindade Santa.
Quem seria capaz de cantar dignamente os teus louvores, ó
Maria?

Tu és, ó maravilha! Mãe e Virgem ao mesmo tempo!
Este milagre me enche de admiração.
Eis por que todo o universo exulta de alegria!

SALVE, Ó MARIA
São Cirilo de Alexandria (444)

A oração seguinte foi extraída do discurso pronunciado no Concílio de Éfeso

Salve, ó Maria, Mãe de Deus, virgem e mãe, estrela e vaso de eleição!

Salve, Maria, virgem, mãe e serva: virgem, na verdade, por virtude daquele que nasceu de ti; mãe, por virtude daquele que cobriste com panos e nutriste em teu seio; serva, por aquele que tomou de servo a forma!

Como Rei, quis entrar em tua cidade, em teu seio, e saiu quando lhe aprouve, cerrando para sempre sua porta, porque concebeste sem concurso de varão e foi divino teu parto.

Salve, Maria, templo onde mora Deus, templo santo, como o chama o profeta Davi, ao dizer: "O teu templo é santo e admirável em sua justiça".

Salve, Maria, puríssima pomba!

Salve, Maria, lâmpada inextinguível!

Salve, Maria, porque de ti nasceu o sol da Justiça!

Salve, Maria, morada da infinitude, que encerraste em teu seio o Deus infinito, o Verbo unigênito, produzindo sem arado e sem semente a espiga incorruptível!

Salve, Maria, Mãe de Deus, aclamada pelos profetas, bendita pelos pastores, quando com os anjos cantaram o sublime hino de Belém: "Glória a Deus nas alturas".

Salve, Maria, Mãe de Deus, alegria dos anjos, júbilo dos arcanjos que te glorificam no céu!

Salve, Maria, Mãe de Deus, por ti adoraram a Cristo os magos guiados pela estrela do Oriente!

Salve, Maria, Mãe de Deus, honra dos apóstolos!

Salve, Maria, Mãe de Deus, por quem João Batista, ainda no seio de sua mãe, exultou de alegria, adorando como luzeiro a perene luz!

Salve, Maria, Mãe de Deus, que trouxeste ao mundo a graça inefável, da qual diz São Paulo: "Apareceu a todos os homens a graça de Deus salvador!"

Salve, Maria, Mãe de Deus, que fizeste brilhar no mundo aquele, que é luz verdadeira, Nosso Senhor Jesus Cristo, que diz em seu evangelho: "Eu sou a luz do mundo!"

Deus te salve, Mãe de Deus, que alumiaste aos que estavam em trevas e sombras da morte; porque o povo que jazia nas trevas viu uma grande luz, uma luz não outra senão Jesus Cristo nosso Senhor, luz verdadeira, que ilumina todo homem que vem a este mundo!

Salve, Maria, Mãe de Deus, por quem se apregoa nos evangelhos:

"Bendito o que vem em nome do Senhor!", por quem se encheram de igrejas nossas cidades, campos e vilas ortodoxas!

Salve, Maria, Mãe de Deus, por quem veio ao mundo o vencedor da morte e o destruidor do inferno!

Salve, Maria, Mãe de Deus, por quem veio ao mundo o autor da criação e o restaurador das criaturas, o Rei dos céus!

Salve, Maria, Mãe de Deus, por quem floresceu e refulgiu o brilho da ressurreição!

Salve, Maria, Mãe de Deus, por quem luziu o sublime batismo de santidade no Jordão!

Salve, Maria, Mãe de Deus, por quem o Jordão e o Batista foram santificados e o demônio destronado!

Salve, Maria, Mãe de Deus, por quem é salvo todo espírito fiel!

LOUVOR DE MARIA, MÃE DE DEUS

São Cirilo de Alexandria (séc. V), no Concílio de Éfeso

Nós vos saudamos, ó mística e Santa Trindade, que nos reunistes a todos nós nesta igreja de Santa Maria, Mãe de Deus.

Nós vos saudamos, ó Maria, Mãe de Deus, venerando tesouro de toda a terra, lâmpada inextinguível, coroa da virgindade, cetro da doutrina verdadeira, templo indestrutível, morada d'Aquele que nenhum lugar pode conter, Mãe e Virgem, por meio da qual nos santos Evangelhos é chamado bendito o que vem em nome do Senhor.

Nós vos saudamos, ó Maria, que trouxestes no vosso seio virginal Aquele que é imenso e infinito; por vós, a Santa Trindade é glorificada e adorada; por vós, a cruz preciosa é adorada no mundo inteiro; por vós, o Céu exulta; por vós, alegram-se os Anjos e os Arcanjos; por vós, são postos em fuga os demônios; por vós, a criatura decaída é elevada ao Céu; por vós, todo o gênero humano, sujeito à insensatez da idolatria, chega ao conhecimento da verdade; por vós, o santo Batismo purifica os crentes; por vós, nos vem o óleo da alegria; por vós, são fundadas as Igrejas em toda a terra; por vós, os povos são conduzidos à penitência.

SALVE
Teodoro de Ancira, † 446

Deixemo-nos guiar pelas palavras de Gabriel,
que é cidadão do céu, e digamos:
Salve, ó cheia de graça, o Senhor está contigo!
Repitamos com o anjo:
Salve, ó alegria por nós tão desejada!
Salve, ó júbilo da igreja!
Salve, ó nome cheio de perfume!
Salve, ó rosto iluminado pela luz de Deus
e que difunde tanta beleza!
Salve, ó memorial todo feito de veneração!
Salve, ó véu salutar e espiritual!
Salve, ó mãe iluminada pela luz nascente!
Salve, ó intemerata mãe da santidade!
Salve, ó fonte borbulhante de água viva!
Salve, ó mãe tão nova
e modeladora do novo nascimento!
Salve, ó mãe repleta de mistério e inexplicável!
Salve, ó vaso de alabastro,
do unguento da santificação!
Salve, ó tu que sabes valorizar a virgindade!
Salve, ó modesto espaço que acolheu em si
Aquele, que o mundo não pode conter!

Ó VIRGEM TODA SANTA
Basílio de Selêucia, 459

Ó Virgem toda santa,
quem disser de vós tudo quanto houver de venerável e glorioso
não peca contra a verdade, mas fica abaixo de vossa dignidade.

Olhai-nos do alto do céu, sede-nos propícia.
Conduzi-nos agora na paz
e, depois de nos guiar sem descanso, até o dia do juízo,
fazei-nos partilhar do repouso dos que demoram à direita de vosso Filho.

Levai-nos ao céu e fazei-nos cantar com os anjos
um hino à Trindade incriada e consubstancial.
Eu vos saúdo, cheia de graça, vós que fostes constituída medianeira
entre Deus e os homens, a fim de derrubar o muro da inimizade
e de estabelecer entre o céu e a terra a união mais estreita.

ORAÇÃO À MÃE DE DEUS
Balai, bispo de Alepo, † 460

Bem-aventurada és tu, ó Maria,
porque em ti se cumprem
os mistérios e os enigmas dos profetas.

Moisés te pressentia na sarça ardente e na nuvem;
Jacó, na escada que sobe aos céus;
Davi, na arca da aliança;
Ezequiel, na porta cerrada e selada.

Eis que as suas palavras misteriosas
se realizam no teu nascimento.

Glória ao Pai, que enviou seu Filho único
para manifestar-se por Maria,
livrar-nos do erro e glorificar sua memória
no céu como na terra! Amém!

SAUDAÇÃO À MÃE
Teódoto de Ancira, séc. V

Ave, oh sede da sabedoria há muito desejada por nós!
Ave, oh gozo da Igreja!
Ave, oh nome agradável como a brisa!
Ave, oh rosto cheio de luz de Deus e de alegria sem medida!
Ave, oh digníssima de venerável memória!
Ave, oh véu salutar e espiritual!
Ave, oh mãe revestida de luz e de esplendor sem ocaso!
Ave, oh mãe da santidade, toda pura!
Ave, oh fonte cristalina do regato vivificante!
Ave, oh jovem mãe, onde se gera uma nova geração!
Ave, oh mãe misteriosa e inefável!
Ave, oh novo livro de Isaías, da nova escritura, cujas testemunhas fiéis são os anjos e os homens!
Ave, oh alabastro que guardas o perfume da santidade!
Ave, oh admirável mercador do denário da virgindade!
Ave, oh tu que foste criada e que crias novas criaturas!
Ave, oh lugar insignificante, que transpuseste o que permanece inacessível a todos!

BEM-AVENTURADA
Tiago de Sarug, bispo de Batneia † 521

Bem-aventurada és tu, Maria, e bem-aventurada a tua alma bendita!
Bem-aventurada és tu que carregou, abraçou e acariciou o menino,
aquele, que sustenta os séculos com a sua secreta palavra.
Bem-aventurada és tu, através de quem o Salvador veio ao mundo de exílio,
subjugando o sedutor e pacificando a terra.
Bem-aventurada és tu, cuja boca pura pousou nos lábios d'Aquele que os serafins não ousam olhar no seu esplendor.
Bem-aventurada és tu, que amamentaste com o teu leite puro a Fonte de onde os vivos alcançam vida e luz.
Bem-aventurada és, porque o universo inteiro ecoa em tua memória,
e os anjos e os homens celebram a tua festa.

SALVE
Sofrônio de Jerusalém, 560-638

Salve, mãe da alegria celeste.
Salve, tu que alimentas em nós um júbilo sublime.
Salve, sede da alegria que salva.
Salve, tu que ofereceste o gáudio perene.
Salve, ó místico lugar da alegria inefável.
Salve, ó campo digníssimo da alegria indizível.
Salve, ó fonte abençoada da alegria infinita.
Salve, ó tesouro divino da alegria sem-fim.
Salve, ó árvore frondosa da alegria que dá vida.
Salve, ó Mãe de Deus, por ninguém desposada.
Salve, ó Virgem, intacta em tua integridade depois do parto.
Salve, espetáculo admirável, que deixa aquém
todos os prodígios.
Quem poderia descrever o teu esplendor?
Quem poderia relatar o teu mistério?
Quem seria capaz de proclamar a tua grandeza?
Ornaste a natureza humana,
superaste as legiões dos anjos...
superaste todas as criaturas...
Nós te aclamamos: Salve, ó cheia de graça!

EU TE ROGO, VIRGEM SANTA
Santo Idelfonso (607-669)

Eu te rogo, Virgem Santa,
faze que receba Jesus do Espírito, por quem o geraste.

Que minha alma possua a Jesus graças ao Espírito,
pelo qual concebeste o mesmo Jesus.

Que nos seja dado conhecer a Jesus pelo Espírito
que te deu saber possuir e gerar a Jesus.

Que minha pequenez possa narrar as grandezas de Jesus pelo Espírito,
em que te reconheceste a serva do Senhor,
desejando que te fosse feito segundo a palavra do Anjo.

Que eu ame a Jesus no Espírito,
em que o adoras como teu Senhor
e olhas como teu Filho.

A VIRGINDADE PERPÉTUA DE SANTA MARIA
Santo Idelfonso de Toledo (617-667)

Ó Senhora minha, dona minha, genitora de meu Senhor, serva de teu Filho, Mãe do Criador, rogo-te, peço-te, suplico-te, habite em mim o espírito de teu Senhor, o espírito de teu Filho, o espírito de meu Redentor, para que digna e verdadeiramente entenda de ti e fale de ti, e tudo quanto de ti afirme seja digno de ti. Pois és eleita por Deus, por Deus chamada, assumida por Deus, próxima de Deus, aderida a Deus, unida a Deus; visitada pelo anjo, saudada pelo anjo, felicitada pelo anjo, surpreendida pela anunciação, atônita ao meditá-la, assombrada pelo vaticínio e admirada ao ouvi-lo.

Ouviste que havias encontrado graça diante de Deus e que nada deverias temer.

Anuncia-te o anjo que teu filho há de ser chamado Santo e Filho de Deus, e te submetes admiravelmente ao poderio do Rei que de ti nascerá.

O Espírito Santo descerá sobre ti e te fecundará a virtude do Altíssimo. Invisivelmente concorrerá nessa concepção toda a Santíssima Trindade, embora somente torne carne em ti a pessoa de Filho de Deus, que de ti há de nascer. Portanto, aquele a quem conceberás, e que de ti nascerá, aquele a quem darás à luz, e que por ti será gerado, chamar-se-á Filho de Deus.

Bem-aventurada és tu entre as mulheres, Rainha entre as rainhas. Bem-aventurada te chamarão todas as gerações; bem-aventurada confessam-te as hierarquias celestiais; bem-aventurada anunciam-te os profetas; bem-aventurada aclamam-te as nações. Tu és bem-aventurada para minha fé e para minha alma, o encontro de meu amor. Oxalá pudesse com meu elogio medir teus méritos, amar-te como devo, servir-te como convém à tua glória. Tu, recebendo a Deus, fizeste-te a escrava do Senhor! Tu, a primeira que geras, ao mesmo tempo, o Deus e homem, o Verbo feito homem!

Acolhes a Deus como hóspede, concebendo aquele que é Deus e homem. No passado eras pura diante de Deus, no presente estás repleta do Deus-Homem e gerarás o Homem-Deus. Mãe e Virgem, cheia de júbilo, gloriosa por tua prole e por tua honestidade, fiel a teu filho e a teu esposo.

Dita, pois, esposa e virgem, escolhida para esposa e virgem, criada como esposa e virgem. Sempre virgem, apesar do filho e do esposo, alheia a toda união e comércio conjugal. Verdadeiramente virgem e santa, virgem gloriosa, virgem honrada. E após o nascimento do Verbo encarnado, após natividade do homem assumido em Deus, de homem unido a Deus, mais santa virgem ainda, santíssima, mais bem-aventurada, mais gloriosa, mais nobre, mais honrada e mais augusta.

LOUVOR
André de Creta, Damasco 660 – Creta 740

Ó Virgem Maria, de ti,
como de uma montanha nunca antes tocada,
saiu o Cristo, a pedra angular,
que uniu as duas naturezas divididas.
É por isso que nós nos alegramos
e te exaltamos, ó Teotókos!

Vinde, todos, e recordemos, com pureza de coração
e com ânimo sóbrio e reto, a Filha do Rei,
o esplendor da Igreja,
mais brilhante do que o ouro,
e procuremos exaltá-la.

Salve! E alegra-te também, ó Esposa do grande Rei,
tu que refletes de modo esplêndido
a beleza do teu esposo,
e vem aclamar com o teu povo:
Ó Doador da vida,
nós vos exaltamos!

Aceita as súplicas do teu povo,
ó Virgem Mãe de Deus,

intercede continuamente junto a teu Filho,
a fim de que ele nos livre, a nós que te louvamos,
dos perigos e das tentações.

És, realmente, a nossa embaixatriz
e a nossa esperança.

MEU ÚNICO ALÍVIO
Germano de Constantinopla, 634-733

Ó meu único alívio,
ó rajada divina, refrigério para a minha aridez,
ó chuva que desce de Deus sobre o meu coração ressequido,
ó lâmpada resplandecente que ilumina a escuridão da minha alma,
guia para o meu caminho,
sustento para a minha fraqueza,
veste para a minha nudez,
riqueza na minha miséria extrema,
remédio para minhas feridas incuráveis,
consolo que põe fim às minhas lágrimas e aos meus gemidos,
libertação de toda desventura,
bálsamo para minhas dores,
liberdade em troca da minha escravidão,
esperança da minha salvação...
Assim seja, ó Senhora minha.
Assim seja, ó refúgio meu,
minha vida e meu auxílio,
minha defesa e minha glória,
minha esperança e minha fortaleza.

AVE, SENHORA
Hino acatista (séc. VII)

Ave, ó iniciada no mistério do desígnio inefável.
Ave, ó fiel depositária de fatos que se devem guardar em silêncio. (Lc 2,19-51).
Ave, ó prelúdio dos milagres de Cristo!
Ave, tu que és um resumo dos seus ensinamentos!
Ave, ó escada por onde Deus desceu! (Gn 28,12).
Ave, ó ponte que conduz da terra ao céu!
Ave, ó maravilha que os Anjos não cessam de proclamar! (Lc 2,14).
Ave, ó terror que não cessa de atormentar os demônios! (Gn 3,15; Ap 12,17).
Ave, tu que geraste a Luz, de um modo inefável! (Lc 2,32; Jo 8,12).
Ave, tu que não revelaste a ninguém como se realizou o mistério! (Mt 1,12-21).
Ave, tu que ultrapassas o conhecimento dos sábios!
Ave, tu que iluminas o coração dos fiéis!
Ave, ó Esposa Virgem! (Mt 1,16.18.20.23; Lc 1,27-34; Lc 1,27-34; 2,5).

HINO ACATISTA À MÃE DE DEUS

Romano, o Melódio, poeta da Igreja grega, 491-560

Os reitores loquazes ficam mudos como carpas, diante de ti, ó Mãe de Deus.
Não podem explicar como permaneces Virgem e podes conceber.
Maravilhados com esse mistério, exclamamos com fé.

Júbilo para ti, morada da sabedoria divina.
Júbilo para ti, celeiro da sua providência.
Júbilo para ti, que mostras os sábios, privados de sabedoria.
Júbilo para ti, que fazes calar os falantes.
Júbilo para ti, porque se esgota a intriga dos poetas.
Júbilo para ti, porque frustraste os artifícios dos Atenienses.
Júbilo para ti, porque encheste a rede dos pescadores.
Júbilo para ti, arrancas ao abismo da ignorância.
Júbilo para ti, esclareces muitos com teu conhecimento.
Júbilo para ti, barca de quem quer salvar-se.
Júbilo para ti, angra dos que navegam nesta vida.
Júbilo para ti, Virgem e Mãe.

VOSSA ALMA TODA ESTÁ SOB A AÇÃO DIVINA
João Damasceno (675-749)

Ó filha do rei Davi e Mãe do Deus, Rei universal,
cuja formosura encantou o Deus criador,
vossa alma toda está sob a ação divina
e atenta somente a Deus.
Todos os vossos desejos tendem ao que é digno de amor.
Tendes vida superior à natureza, mas não a tendes para vós,
que não fostes criada para vós.
Vós a consagrastes toda a Deus,
que vos introduziu no mundo,
a fim de servirdes ao gênero humano
e realizardes o desígnio de Deus,
a encarnação de seu Filho
e a deificação do gênero humano.
Vosso coração se nutre das palavras de Deus.
Elas vos fecundam,
como a árvore plantada à margem das águas vivas do Espírito.
Não há em vossos pensamentos outro objeto senão o que aproveita à alma.
Toda a ideia inútil, vós a rejeitais antes mesmo de sentir-lhe o gosto.
Vossos olhos estão sempre voltados para o Senhor.
Vossos ouvidos, atentos às palavras divinas.
Vossas narinas respiram o perfume do esposo,

perfume divino que lhe pode embalsamar a humanidade.
Vossos lábios louvam o Senhor e gozam de sua divina suavidade.
Vosso puríssimo coração, isento de toda mácula, vê sempre o
Deus de toda pureza
e arde de desejo por ele.
Vosso ventre é a morada daquele que nenhum espaço pode
conter.
Vosso leite nutre a Deus no Menino Jesus.
Sois a porta de Deus.
Vossas mãos guiam a Deus,
e vossos joelhos são o trono mais sublime
que o dos querubins...
Vossos pés, conduzidos pela luz da lei divina,
arrastam-vos até a posse do Bem-Amado.
Sois o templo do Espírito Santo,
a cidade do Deus vivo.
Sois toda bela, bem próxima de Deus.
Salve, Maria, doce filha do Cordeiro,
o amor de novo me trouxe até vós.
Como descrever vosso olhar?
Vosso vestido? A formosura de vosso semblante?
Esta sabedoria que dá a idade unida
à juventude do corpo?
Vosso trajar, todo ele modéstia,
sem luxo nem desprezo.
Vosso andar seguro, sem precipitação.
Discreto o vosso comportamento,
temperado pela alegria,
jamais atraindo a atenção das pessoas.
Éreis submissa e dócil aos vossos pais.
Humilde permanecia a vossa alma
em meio às mais sublimes contemplações.

Uma palavra aprazível a traduzir a doçura da alma.
Que morada teria sido mais digna de Deus?
É justo que todas as gerações vos proclamem
bem-aventurada,
insigne glória do gênero humano.
Sois a glória do sacerdócio,
a esperança dos cristãos,
a planta fecunda da virgindade.
Bem-aventurados os que vos reconhecem como Mãe de Deus.
Vós, que sois a filha e a soberana de Joaquim e Ana,
acolhei a súplica de vosso pobre servidor
que mais não é que pecador,
mas que vos ama ardentemente e vos honra,
que quer encontrar em vós
a única esperança de sua felicidade,
o guia de sua vida,
a reconciliação junto a vosso Filho
e o penhor certo de sua salvação.
Livrai-me do fardo de meus pecados,
dissipai as trevas do meu espírito,
reprimi as tentações,
governai a minha vida,
a fim de que seja eu conduzido por vós
à felicidade celeste.
Dai paz ao mundo.
A todos os fiéis desta cidade
dai a alegria perfeita e a salvação eterna,
pelas preces de vossos pais e de toda a Igreja.
Eu vos saúdo, ó Maria, vós sois a esperança dos cristãos.
Que eu possa, por vosso intermédio
e debaixo de vossa proteção,
chegar à felicidade eterna do paraíso.

BENDITA SOIS VÓS ENTRE AS MULHERES
São Sofrônio, bispo – séc. VII

Ave, cheia de graça, o Senhor é convosco. Que pode haver mais do que esta alegria, ó Virgem Mãe? Que pode haver de mais excelente do que esta graça que só a vós foi concedida por Deus? Que pode imaginar-se de mais jubiloso e esplêndido do que essa graça? Nada se pode comparar com a maravilha que em vós se contempla; nada há que iguale à graça que possuís; todo o resto, por excelente que seja, ocupa um plano secundário e goza de brilho completamente inferior.

O Senhor é convosco. Quem ousará competir convosco? Deus nasceu de vós. Haverá alguém que se não reconheça inferior a vós, e, mais ainda, haverá quem não vos conceda alegremente a primazia e a superioridade? Por isso, ao contemplar as vossas eminentes prerrogativas, que superam as de todas as criaturas, eu vos aclamo com todo o entusiasmo: *Ave, cheia de graça, o Senhor é convosco.* Por meio de vós foi concedida a alegria não somente aos homens mas também aos Anjos do céu.

Verdadeiramente *bendita sois vós entre as mulheres*, porque transformastes em bênção a maldição de Eva; porque fizestes com que Adão, outrora ferido pela abominação divina, por meio de vós fosse abençoado.

Verdadeiramente bendita sois vós entre as mulheres, porque por meio de vós brilhou sobre os homens a bênção do Pai, libertando-os da antiga maldição.

Verdadeiramente bendita sois vós entre as mulheres, porque, permanecendo Virgem, produzistes aquele fruto que derrama a bênção sobre toda a terra e a liberta da maldição de que só germinavam espinhos.

Verdadeiramente bendita sois vós entre as mulheres, porque, embora sendo mulher por condição natural, vireis a ser verdadeira Mãe de Deus. Com efeito, aquele que vai nascer de vós é com toda a verdade Deus Encantado, e vós sois chamada, com pleno direito, Mãe de Deus, pois realmente é Deus, que dais à luz.

AUXÍLIO DOS CRISTÃOS
São Germano de Constantinopla, séc. VII

Tu nos conheces para nos proteger, e reconhecemos-te na tua ajuda e no teu auxílio.

A separação de alma e de corpo não interrompeu as relações entre ti e os teus servos. Não abandonas os que ajudaste a salvar.

Não os deixaste reunidos sem a tua presença. O teu espírito está vivo para sempre. A tua carne não sofreu a corrupção do sepulcro. Velas sobre cada um de nós, Mãe de Deus, e o teu olhar pois sobre todos.

Os nossos olhos não podem ver-te, Virgem Santíssima, mas tu vives no meio de nós.

ALEGRA-TE, DELÍCIA DO PAI
São Taraiso, 730-806

Alegra-te, delícia do Pai,
por ti o conhecimento de Deus
se espalhou entre os confins da terra.

Alegra-te, morada do Filho,
da qual Ele surgiu, revestido da carne.
Alegra-te, inefável morada
do Espírito Santo.

Alegra-te, mais santa que os querubins,
mais gloriosa que os serafins.
Alegra-te, mais vasta que o céu.
Alegra-te, mais resplandecente que o sol.
Alegra-te, mais luminosa que a lua.
Alegra-te, múltipla claridade dos astros.
Alegra-te, nuvem ligeira espargindo um celeste rocio.

Alegra-te, brisa santa,
que expulsaste da terra o vento da malícia.
Alegra-te, nobre predição dos profetas.
Alegra-te, voz dos apóstolos,
ouvida em toda a terra.

Alegra-te, confissão excelente dos mártires.
Alegra-te, sempre celebrada
pelos louvores dos patriarcas.
Alegra-te, adorno supremo dos santos.
Alegra-te, princípio universal da salvação.
Alegra-te, rainha, protetora da paz.
Alegra-te, esplendor sem manchas das mães.
Alegra-te, mediadora de tudo que há sob os céus.
Alegra-te, tu que restauras o mundo inteiro.

HINO À VIRGEM ASSUNTA AO CÉU
Santo Odilon, 962-1049

Bem-aventurada Mãe de Deus, Maria, sempre Virgem.

Vós sois, depois de Deus, a primeira causa da salvação dos homens; Mãe única e Virgem eterna!

Repleta dos maiores favores de Deus, ornada com os dons mais preciosos do céu!

A tal ponto sois rica da graça divina que, pela flor de vosso seio virginal, o Pai Todo-Poderoso venceu o príncipe das trevas, autor da morte.

Através daquele que vossa virgindade gerou, ele abriu aos crentes as portas do reino celeste.

Ele vos levou até o trono de sua eternidade, rodeada pela multidão dos anjos.

A divindade, encarnada por vosso intermédio, corre a vosso encontro, festejando-vos, e a comemoração de vossa gloriosa Assunção ressoa através de todo o universo.

A cidade do reino celeste e todos os dignos dele honram a Mãe do Príncipe,

com seus votos e homenagens.

Com eles cantemos a alegria na vitória da vossa assunção; e na sua alegria, celebremos Deus, louvemos a Deus, a ele supliquemos.

Cumpramos desta festa os brilhantes ensinamentos.

Vai, minha alma, implora e suplica

vós, meus lábios, cantai de alegria!

AVE, SEMPRE BELA
Hino popular do século IX

Ave, sempre bela,
Ó Virgem Mãe de Deus,
do alto mar estrela,
porta azul dos céus.

Novas o anjo traz:
"Ave", saúda-te.
Funda-nos na paz,
de Eva o nome muda.

Quebra a algema ao réu,
e dá aos cegos a luz.
Dá-nos, Mãe do céu,
o que ao céu conduz.

Mostra seres Mãe,
faze a nós descer
quem por nós nascido
quis de ti nascer.

Mansidão, pureza,
Ó Virgem sem igual,

dá-nos com presteza
e livra-nos do mal.

Dá-nos vida pura,
um caminho certo,
para quem procura
ver Jesus de perto.

SAUDAÇÃO A MARIA
São Pedro Damião, 1007-1072

Alegra-te, ó Mãe de Deus,
Virgem Imaculada,
alegra-te, pois recebeste
do anjo feliz nova.
Alegra-te, ó Mãe, alegra-te,
Virgem santa, Mãe de Deus.
Tu somente, Mãe e Virgem,
que te louve toda criatura!
Mãe de Deus, intercede por nós.

Ó VÓS, TERNAMENTE PODEROSA
Santo Anselmo, 1033-1109

Ó vós, ternamente poderosa
e poderosamente terna, ó Maria,
de quem brotou a fonte das misericórdias, eu vo-lo peço:
Se minha miséria for maior do que eu deveria ser,
será mais frágil do que convém a vossa misericórdia?
Ó minha Senhora, quanto mais perecerem impuras
as minhas faltas em face de Deus e perante vós,
tanto mais têm necessidade de serem sanadas
graças à vossa intercessão.
Curai, pois, minha fraqueza, ó clementíssima,
encobri a fealdade que vos ofende.
Agi, ó minha Senhora, ouvi-me.
Curai a alma do pecador, vosso servo,
pela virtude do bendito fruto do vosso ventre,
daquele, que está sentado à direita do Pai
Todo-Poderoso, "digno de louvor e de glória
acima de tudo e pelos séculos" (Dn 3,53),
Ó Maria, maior do que todas as mulheres.
Ó grande Senhora, tão grande,
meu coração vos quer amar,
minha boca vos deseja louvar,
meu espírito vos deseja venerar,
minha alma aspira invocar-vos:

todo o meu ser recomenda à vossa proteção.
Ó vós, Mãe daquele que salvou minha alma,
todo o meu coração vos suplica:
Dai ouvidos, Senhora minha, sede propícia,
ajudai-me com vossa onipotência.
Que minhas trevas recebam a luz,
que meu coração vos conheça e vos admire,
ame-vos e vos implore,
não com o ardor de um ser imperfeito
que não tem senão desejos, mas tanto
quanto deve alguém criado e salvo,
resgatado e ressuscitado por vosso Filho.
Sois, ó Senhora,
por vossa fecundidade em obras de salvação,
digna de veneração por vossa santidade;
mostrastes ao mundo seu Senhor e seu Deus
que ele não conhecia;
revelastes ao mundo visível seu Criador,
que ainda não vira;
destes à luz, para o mundo, o restaurador
de quem, perdido, tinha necessidade.
Por vossa fecundidade, ó Senhora,
o mundo pecador foi justificado;
condenado, foi salvo;
exilado, foi repatriado.
Ó boa Mãe, suplico-vos pelo amor
com que amáveis o vosso Filho,
como o amais de verdade
e como quereis que ele seja amado,
concedei que eu também o ame de fato.
Assim, eu vo-lo peço:

que se cumpra realmente o que é de vossa vontade.
Que meu espírito, sois digna disso, venere-vos;
que meu coração, como é justo, ame-vos;
que minha alma, como lhe é vantajoso, queira-vos muito;
que minha carne, como o deve, sirva-vos;
que nisso se consuma a minha vida,
a fim de que todo o meu ser
vos cante durante a eternidade:
Bendito seja o Senhor eternamente. Amém! Amém!

Ó confiança bem-aventurada, ó refúgio seguro,
Mãe de Deus, sois minha Mãe!
Como não hei de ter esperança
quando a minha salvação e a minha santidade
estão nas mãos de Jesus, meu irmão,
e de Maria, minha Mãe?

SALVE-RAINHA
Hermano Contracto, †1054, monge beneditino

Salve, Rainha, Mãe de misericórdia,
vida, doçura, esperança nossa, salve!
A vós bradamos, os degredados filhos de Eva,
a vós suspiramos, gemendo e chorando
neste vale de lágrimas!

Eia, pois, advogada nossa,
esses vossos olhos misericordiosos a nós volvei,
e, depois deste desterro, mostrai-nos Jesus,
bendito fruto do vosso ventre!

Ó clemente, ó piedosa,
Ó doce sempre Virgem Maria.

Rogai por nós, santa Mãe de Deus,
para que sejamos dignos das promessas de Cristo.

AUGUSTA MÃE DO REDENTOR

Hermano Contracto, †1054, monge beneditino

Nobre Mãe do Redentor,
porta do céu sempre aberta,
estrela do mar,
vem socorrer este povo que cai e se esforça por erguer-se.

Puseste no mundo o teu Criador: maravilha-se por isso a natureza, tu, a sempre virgem, que Gabriel saudou, tem piedade de nós, pecadores.

Assim, fortalecido agora com tantos méritos, livra nossos corações de suas pedras tão duras, aplaina seus caminhos ásperos, corrige suas trilhas tortuosas, para que o Criador e Redentor do mundo se digne, em nossos corações purificados de toda mancha, vir em sua bondade; e que possa facilmente pousar neles os seus pés sagrados.

Que todos, em seus cânticos, repitam glória ao Pai, e a vós, Jesus Cristo, gerado pelo Altíssimo, com quem, formando um único Deus criador, reina o Espírito Santo.

Ó SANTÍSSIMA SENHORA
Edmero, 1060-1124

Ó santíssima Senhora,
Deus vos elevou extraordinariamente
e vos tornou possíveis todas as coisas.
Por essa graça suplicamos
que nos façais participar da vossa glória,
ó vós, que possuís a plenitude das graças.
Misericordiosíssima Senhora,
empenhai-vos pela nossa salvação,
por cujo motivo Deus quis fazer-se homem
em vossas castas entranhas.
Dignai-vos prestar ouvidos às nossas súplicas.
Se consentirdes em pedir por nós a vosso Filho,
ele para logo vos atenderá.
Basta que nos queirais salvar,
para que sejamos infalivelmente salvos.
Ora, quem nos poderia fechar as entranhas
de vossa piedade?
Se não tiverdes compaixão de nós,
vós que sois a Mãe de misericórdia,
que será de nós
quando vosso Filho nos vier julgar?
Socorrei-nos, pois, ó piedosíssima Senhora,

sem atender à multidão de nossos pecados.
Pensai bem e meditai que nosso Criador
assumiu carne humana em vosso seio,
não para condenar os pecadores,
mas para salvá-los.
Se não tivésseis sido Mãe de Deus
senão para proveito vosso,
poderíamos dizer que pouco vos importava
que fôssemos condenados ou salvos;
mas Deus revestiu-se de vossa carne
pela nossa salvação e pela de todos os homens.
De que nos serviriam vosso poder e vossa glória,
se não nos fizésseis participar de vossa felicidade?
Ajudai-nos e protegei-nos,
bem sabeis como precisamos de vossa assistência.
Encomendamo-nos a vós; fazei com que não nos percamos,
mas que sirvamos e amemos eternamente
a vosso Filho Jesus Cristo.
Certamente, tudo quanto Deus quis de mais honroso
para outra pessoa que não ele
foi para vós, sem sombra de dúvida, que ele o quis,
ó bem-aventurada entre todas as mulheres.
Quis fazer de vós sua Mãe
e porque quis o fez.
Que digo? Fez de vós sua Mãe,
Ele, o Criador, o Senhor e Soberano de todas as coisas,
Ele, o Autor e Senhor de todos os seres
não só inteligíveis, mas dos que excedem toda inteligência.
Ele vos fez, Nossa Senhora, sua única Mãe
e por isso vos constituiu, ao mesmo tempo,
Senhora e Imperatriz do universo.

Tornastes-vos Soberana e a Rainha dos céus,
das terras e dos mares, de todos os elementos
e de tudo que eles contêm
e foi para ser tudo isso que ele vos formou
por obra do Espírito Santo,
por seio de vossa Mãe desde o primeiro instante
de vossa conceição.
É assim, ó boa Senhora, e nos alegramos que assim seja.
Mas nós vos pedimos, ó Maria dulcíssima,
a vós a quem foi reservada tanta grandeza,
a vós destinada a ser a Mãe única do soberano Bem,
a Rainha prudente e nobre, depois de vosso Filho, de todos os
seres passados, presentes e futuros,
pudestes em vossa origem ser tal
que se deva colocar-vos ao nível
ou por debaixo de alguma das criaturas
sobre as quais, sabemo-lo com certeza,
exerceis vosso poder?
O apóstolo da pura verdade,
aquele que vosso Filho, do céu onde reina agora,
cognominou "o vaso de eleição",
afirma que todos os homens pecaram em Adão.
Verdade certa, e eu o declaro que não se pode negar.
Mas considerando a eminência da graça em vós, ó Maria,
noto que fostes colocada de modo inestimável,
não entre as criaturas, mas, excetuando vosso Filho,
por sobre tudo que foi criado.
Donde concluo que, na vossa Conceição,
não fostes vinculada pela mesma lei conatural
aos outros homens, mas ficastes de todo isenta
de todo pecado e isso por virtude singular
e operação divina impenetrável à mente humana.

LEMBRAI-VOS
São Bernardo, 1090-1153
Extraída da homilia sobre a Assunção

Lembrai-vos, ó piíssima Virgem Maria, de que nunca se ouviu dizer que algum daqueles que tem recorrido à vossa proteção, implorando a vossa assistência e reclamando o vosso socorro, fosse por vós desamparado.

Animado, eu, pois, com igual confiança, a vós, ó Virgem entre todas singular, como a Mãe recorro, de vós me valho e, gemendo sob o peso dos meus pecados, prostro-me aos vossos pés.

Não desprezeis as minhas súplicas, ó Mãe do Filho de Deus humanado, mas dignai-vos de ouvi-las propícia e de me alcançar o que vos rogo.

Amém.

NOSSA SENHORA DAS DORES
São Bernardo (séc. XII), Homilias

Oferecei o vosso Filho, Virgem Consagrada, e apresentai ao Senhor o fruto do vosso ventre. Oferecei para a reconciliação de todos nós a vítima santa que agrada a Deus.

Virá o dia em que este Filho já não será oferecido no Templo, nem nos braços de Simeão, mas fora da cidade, nos braços da Cruz. Será o sacrifício da tarde, será mais total. A um e outro, no entanto, se pode aplicar o que tinha predito o Profeta: "Ofereceu-se porque quis" (Is 53,7).

À ESPERA DA RESPOSTA DE MARIA
São Bernardo (séc. XII), Homilia

Dá, depressa, ó Virgem, a tua resposta. Responde sem demora ao Anjo, ou, para melhor dizer, ao Senhor por meio do Anjo. Pronuncia uma palavra e recebe a Palavra. Profere a tua palavra humana e concebe a divina. Diz uma palavra transitória e acolhe a Palavra eterna.

Por que demoras? Por que receias? Crê, consente e recebe.

Encha-se de coragem a tua humildade e de confiança a tua modéstia. Não convém de modo algum, neste momento, que a tua simplicidade virginal esqueça a prudência. Virgem prudente, não temas neste caso a presunção, porque, embora seja louvável aliar a modéstia ao silêncio, mais necessário é agora aliar a piedade à palavra.

Abre, ó Virgem santa, o coração à fé, os lábios ao consentimento, as entranhas ao Criador. Eis que o desejado de todas as nações está à tua porta e chama. Se te demoras e Ele passar adiante, terás então de recomeçar dolorosamente a procurar o amado da tua alma. Levanta-te, corre, abre. Levanta-te pela fé, corre pela devoção, abre pelo consentimento.

Ó Virgem feliz, abre o coração à fé, abre os lábios ao consentimento, abre o teu seio para acolher o Criador...

Quão sublime é a humildade aqui manifestada, que sabe ceder com honra ou elevar-se com glória! É escolhida para ser Mãe de Deus e, não obstante, intitula-se sua Serva!

É sem dúvida um sinal de mais que comum humildade não esquecer a humildade, não esquecer a humildade nunca tal exaltação. Ser humilde em objeção nada tem de notório; mas é realmente uma alta virtude, tão alta como rara, ser humilde como Maria no meio da sua dignidade.

SANTÍSSIMA VIRGEM, MÃE DE DEUS

Nicolau, monge cisterciense e secretário de São Bernardo

Santíssima Virgem, Mãe de Deus,
socorrei os que imploram a vossa assistência
e olhai para nós.
Podereis esquecer os homens
agora que estais tão unida a Deus?
Ah! Certamente que não.
Bem sabeis em que perigos nos deixastes
e qual o estado miserável dos vossos servos.
Não é bem que uma misericórdia tão grande como a vossa
se esqueça de uma miséria tão grande como a nossa.
Valei-nos como vosso poder,
já que aquele que tudo pode nos deu
a onipotência no céu e na terra.
Nada vos é impossível,
pois até conseguis despertar a esperança da salvação.
Quanto mais poderosa sois,
tanto mais misericordiosa deveis ser.
Valei-nos também por amor.
Sei, Senhora minha, que sois muito benigna
e nos amais com um amor
que nenhum amor pode exceder.
Quantas vezes aplacais a ira do nosso Juiz
no momento em que nos vai punir!

Em vossas mãos se acham todos os tesouros
da misericórdia de Deus.
Ah! Não suceda jamais que nos deixeis
de nos cumular de vossos benefícios!
Só buscais ocasião de salvar os miseráveis
e de derramar sobre eles vossa misericórdia,
porque vossa glória aumenta,
quando por vossa intercessão
os penitentes são perdoados
e assim alcançam o paraíso.
Valei-nos, pois, para que consigamos
gozar de vossa visão no céu.
Pois a maior glória que possamos ter,
depois de ver a Deus, é ver-vos, amar-vos
e viver sob vosso patrocínio.
Ah! Ouvi nossas súplicas,
já que vosso Filho quer honrar-vos,
nada vos negando do que lhe pedis.

SALVE, Ó MÃE DO SALVADOR
Adão de São Vitor, 1130-1192

Salve, ó Mãe do Salvador, vaso eleito, vaso de honra, vaso de celeste graça.

Vaso predestinado eternamente, vaso insigne, vaso ricamente cinzelado pela mão da Sabedoria.

Salve, Mãe sagrada do Verbo, flor brotada dos espinhos, flor sem espinhos, flor, glória do espinheiro. O espinheiro somos nós, os dilacerados pelos espinhos do pecado. Vós, porém, não conhecestes espinhos.

Porta fechada, fonte dos jardins, tesouro dos perfumes, tesouro dos aromas. Excedeis em suave odor o ramo do cinamomo, a mirra, o incenso e o bálsamo.

Salve, glória das virgens, Medianeira dos homens, Mãe da salvação.

Mirto de temperança, rosa de paciência, nardo odorífero.

Vale de humildade, terra respeitada pela relha e abundante em messes.

Ó flor dos campos, o belo lírio dos vales, Cristo nasceu de vós.

Paraíso celeste, cedro que o ferro jamais tocou, a espalhar sua doce fragrância.

Em vós a plenitude do esplendor e da beleza, de doçura e dos perfumes.

Trono de Salomão, a que nenhum trono é semelhante, pela arte e pela matéria.

Nesse trono, o marfim por sua alvura figura o mistério da castidade, o ouro por seu brilho significa a caridade.

Só vossa é a palma e permaneceis sem igual na terra e nos paços do céu.

Glória do gênero humano, em vós estão os privilégios das virtudes, acima de todos.

O sol brilha mais que a lua, e a lua, mais que as estrelas; assim Maria brilha entre todas as criaturas.

A luz sem eclipse é a castidade da Virgem; o fogo que jamais se extingue e sua caridade imortal.

Salve, Mãe de misericórdia e de toda a Trindade augusta habitação.

Mas à majestade do Verbo encarnado oferecestes um santuário especial.

Ó Maria! Estrela do mar, em vossa dignidade suprema dominais sobre todas as ordens da celeste hierarquia.

Em vosso trono erguido no céu, recomendai-nos a vosso Filho; consegui que os terrores ou os enganos de nossos inimigos não triunfem de nossa fraqueza.

Ó Maria! Estrela do mar: na luta que sustentamos, defendei-nos por vosso apoio; que a violência de nosso inimigo pleno de audácia e embuste ceda à vossa força soberana; sua astúcia, à vossa previdência. Amém.

Jesus! Braço do Pai soberano, guardai os servos de vossa Mãe; libertai os pecadores, salvai-os por vossa Mãe; libertai os pecadores, salvai-os por vossa graça e imprimi em Nós os raios de vossa claridade gloriosa. Amém.

SABEDORIA ETERNA
Henrique Suso, 1295-1366

Ó Senhora do céu e da terra, levantai-vos,
sede nossa medianeira, obtendo-nos a graça
de vosso terno Filho, a Sabedoria eterna.
Ah! Sabedoria eterna, como podeis agora
recusar-me qualquer coisa?
Assim como vos apresento ao Pai eterno,
apresento à doçura de vossos olhares
vossa pura e terna Mãe, entre todas eleita.
Ah! Doce e bela Sabedoria, olhai-a,
vede-lhe os olhos plenos de doçura
que tantas vezes vos miraram com tanta bondade;
reconhecei-lhe a face graciosa que com tanta ternura
apertou contra vosso rosto de criança!
Ah! Olhai esta boca delicada que tantas vezes
vos cobriu de afetuosos beijos;
vede estas mãos puras que tanto vos serviram!
Ah! Doçura das doçuras, como podemos recusar
qualquer coisa àquela que vos amamentou com tanto amor,
trouxe-vos nos braços, que vos levou à cama
e vos levantou, que vos cuidava tão ternamente!
Senhor, lembro-vos de todo o amor
que sentistes por ela nos dias de vossa infância,

quando, sentado em seus joelhos maternais,
a olháveis com tanto afeto profundo,
com os olhos cheios de sorriso e alegria,
quando vossos braços de criança a apertavam
afetuosamente com amor, com ternura infinita,
preferindo-a a toda outra criatura.
Lembrai-vos também da grande aflição
que seu coração maternal sofreu sozinho convosco
sob o patíbulo de vossa cruz miserável,
quando vos viu nas vascas da morte, quando seu coração
e sua alma morreram
muitas vezes convosco na tristeza e na dor,
a fim de que me desses por sua graça
afastar todos os obstáculos,
obter vossa graça e jamais perdê-la.
Lembrai-vos, lembrai-vos, doce Rainha eleita entre todas,
de que é de nós, pecadores, que tendes
toda a vossa dignidade.
Quem fez de vós a Mãe de Deus, o escrínio,
onde repousou docemente a Sabedoria eterna?
Ó Senhora, foram nossos pecados de pobres homens.
Como vos chamaríamos Mãe da graça e da misericórdia,
se não fosse da parte de nossa indigência
que tem necessidade de vossa misericórdia?
Foi nossa pobreza que vos tornou rica,
foram os nossos crimes que vos guindaram
em nobreza por sobre todas as criaturas mais puras.

MÃE DA MISERICÓRDIA
Henrique Suso, séc. XIV

Voltai, Mãe, para o pecador que eu sou, o vosso olhar de misericórdia, pois o vosso coração cheio de doçura nunca o desviou de um culpado, nem de um desesperado.

Quantas almas pecadoras que, depois de se terem afastado de Deus, de terem renegado a Deus, de terem desesperado de Deus e de terem miseravelmente separado d'Ele, agarram-se a vós e foram docemente acolhidas por vós, até que, por vossa intercessão, reencontraram o estado de graça!

Houve porventura algum pecador, por maiores que sejam os seus crimes, que ao pensar em vós não tenha readquirido a coragem?

MEDIAÇÃO
Henrique Suso, séc. XIV

Ó eleita de Deus, maravilhoso trono de ouro da Sabedoria Eterna, permiti ao pobre pecador que eu sou que me entretenha um instante convosco sobre as minhas misérias... Mãe de todas as graças, parece-me que nem a minha alma nem nenhuma outra alma pecadora têm necessidade de autorização ou de mediador junto de vós! Não sois vós para todos os pecadores a medianeira que não tem necessidade de nenhuma mediação?

Quanto mais uma alma pecou, tanto mais lhe parece fácil ter acesso junto de vós. Assim, avança sem temor, ó minha alma! Se a grandeza das tuas faltas te afasta d'Ela, a sua doçura infinita convida-te a aproximar-te.

EXCELSA MÃE DE DEUS
Santo Antônio de Pádua, 1196-1231

Nós te pedimos, ó Senhora nossa, excelsa Mãe de Deus,
exaltada acima dos coros dos Anjos,
que enchas nossos corações com a graça celeste.
Que faças brilhar neles o ouro da sabedoria, que os firmes com a força de teu poder, que os ornamentes com as pedras preciosas das virtudes,
que derrames sobre nós, ó oliveira bendita, o óleo de tua misericórdia, para encobrir a multidão de nossos pecados, para que mereçamos ser elevados à sublimidade da glória celeste e que nos tornemos felizes com os bem-aventurados,
pela graça de Jesus Cristo, teu Filho, que te exaltou acima dos coros dos Anjos, que te honrou com a coroa real
e te colocou num trono de eterna luz.
Nós te pedimos, Senhora nossa,
que tu, Estrela da manhã,
afastes, com o teu esplendor,
a névoa da sugestão diabólica,
que encobre a terra do nosso espírito;
tu, que és a lua cheia, enchas o nosso vazio,
diluas as trevas do nosso pecado,
a fim de que mereçamos chegar à plenitude da vida eterna,
à luz da glória sem mácula.

Auxilie-nos o Senhor,
que te criou para seres nossa luz.
Para nascer de ti, fez-te nascer imaculada.
A Ele sejam dadas honra e glória, pelos séculos dos séculos.
Amém.

SAUDAÇÃO À VIRGEM MARIA
Francisco de Assis, 1182-1226

Santa Virgem Maria, não há mulher nascida no mundo semelhante a vós, filha e serva do Altíssimo Rei e Pai celestial, mãe de nosso santíssimo Senhor Jesus Cristo, esposa do Espírito Santo: rogai por nós com São Miguel Arcanjo e todas as Virtudes do céu e todos os santos juntos a vosso santíssimo e dileto Filho, nosso Senhor e Mestre.

Salve, Senhora santa Rainha, santa Mãe de Deus, Maria, virgem convertida em templo, e eleita pelo santíssimo Pai do céu, consagrada por Ele com o seu santíssimo amado Filho e o Espírito Santo Paráclito; que teve e tem toda a plenitude da graça e de todo o bem!

Salve, palácio de Deus! Salve, tabernáculo de Deus! Salve, casa de Deus! Salve, vestidura de Deus! Salve, mãe de Deus!

Em vós, todas as santas virtudes, que pela graça e iluminação do Espírito Santo sois infundidas nos corações dos fiéis, para infiéis que somos, nos tornardes fiéis a Deus.

Salve, ó Senhora santa,

Rainha santíssima, mãe de Deus, ó Maria,

Que sois Virgem feita Igreja, eleita pelo santíssimo Pai celestial, que vos consagrou por seu santíssimo e dileto Filho e o Espírito Paráclito!

Em vós residiu e reside toda a plenitude da graça e todo o bem!

Salve, ó palácio do Senhor!
Salve, ó tabernáculo do Senhor!
Salve, ó morada do Senhor!
Salve, ó manto do Senhor!
Salve, ó serva do Senhor!

Salve, ó Mãe do Senhor, e salve, vós todas, ó santas virtudes derramadas, pela graça e iluminação do Espírito Santo, nos corações dos fiéis, transformando-os de infiéis em servos fiéis a Deus!

AVE, MARIA
Raimundo Lullo, 1232-1315

Ave, Maria! Saúda-te este teu servo, da parte dos anjos, dos patriarcas, dos profetas, dos mártires, confessores e virgens; e te saúdo também eu, da parte de todos os santos da glória.

Ave, Maria! Trago-te as saudações de todos os cristãos, justos e pecadores. Os justos te saúdam, porque és digna disso e porque és a esperança da salvação deles. Os pecadores te saúdam, porque precisam do perdão e têm esperança de que, com os teus olhos misericordiosos, olhes para teu Filho bendito e Ele tenha misericórdia e piedade de suas culpas, recordando-lhe tu, Senhora, a paixão que sofreu por eles.

Ave, Maria! Trago-te as saudações da parte dos mouros, dos hebreus, dos gregos, dos mongóis, dos tártaros, dos turcos, dos búlgaros, dos romanos, dos beduínos, dos surianos, dos jacobinos, dos nestorianos, dos maronitas, dos russos, dos armênios e dos gregorianos. Todos esses e muitos outros cismáticos e infiéis te saúdam por meio de mim, que sou o seu representante.

Com essa saudação eu te apresento todos, para que teu Filho queira lembrar-se deles, e tu, que és mãe de misericórdia, queiras obter d'Ele o envio de santos pregadores, que os guiem e lhes ensinem a conhecer e amar a ti e a teu Filho bendito, com as suas forças, e depois merecer a salvação.

Ave, Maria! Esses infiéis, pelos quais te saúdo, têm boca para te louvar se te conhecerem; têm coração para te amar; têm mãos para te servir e pés para andar pelos teus caminhos. Tu és digna, Senhora, de ser conhecida, amada, servida e honrada por todos os povos e por todos os países do mundo.

Todos te saúdam cordialmente por meio de mim, implorando de ti glória e bênção.

Ó MÃE DE DEUS, A VÓS RECORRO
Guilherme, † 1248

Ó Mãe de Deus, a vós recorro,
pedindo-vos que não me repilais,
já que toda a Igreja dos fiéis vos chama
e vos proclama Mãe de misericórdia.
Sois tão querida por Deus que ele nada vos nega
e sempre vos atende.
Vossa piedade nunca faltou a ninguém.
Vossa benigníssima afabilidade nunca desprezou
pecador algum, por objeto que fosse,
que a vós se tenha recomendado.
Falsamente ou em vão, chamar-vos-ia a Igreja
sua advogada e refúgio dos miseráveis?
Não suceda jamais que minhas culpas
vos possam impedir de exercer
vosso grande ofício de piedade,
que vos constitui advogada e medianeira de paz,
única esperança e refúgio seguríssimo dos pecadores!
Não suceda jamais que a Mãe de Deus,
que deu ao mundo para a salvação do gênero humano
a fonte da misericórdia,
negue sua piedade a um infeliz que a invoca.
Vosso ofício é ser medianeira de paz
entre Deus e os homens:

concedei-me, pois, o vosso auxílio,
vossa imensa piedade, incomparavelmente maior
que todos os meus pecados.

VIRGEM MARIA
São Boaventura, 1221-1274

Com quanta devoção deveria meu coração
abrir-se e dar-se todo a vós, Virgem Maria!
Deveria minha boca encher-se
de uma admirável doçura,
enquanto vos saúdo,
doce e benigna Senhora
e bendigo o fruto de vosso ventre.
Como é possível que, ao saudar-vos,
não me deleite tanto a ponto de me esquecer
de todas as coisas
e pensar em vós e no vosso Fruto?
E que coisa mais vos agradaria escutar,
senão a saudação angélica,
em que sois reconhecida como Mãe de Deus?
Quereis que os homens se alegrem em vós;
que seu afeto se dirija Àquele de quem sois Mãe,
pois que não quereis outra coisa
senão ser reconhecida e saudada como Mãe de Deus.
Salve, portanto, Maria!
Admirável "salve", pelo qual
os demônios são postos em fuga,
são libertados os pecadores,

são regenerados os filhos.
O anjo congratula-se convosco, Maria,
o Verbo encarna-se em vosso seio
e vos tornais Mãe de Deus.
A vós, pois, cante "Salve" sem-fim toda criatura...
Com toda a reverência, honra e devoção,
devemos saudar-vos, ó beatíssima Virgem,
e procurais quem se refugie em vós
com reverência e devoção.
A estes amais, nutris e perfilhais.
Feliz daquele que tem a glória de vos ter por Mãe,
que vos abraça com afeto,
que vos imita nas obras!
Feliz daquele que faz o possível
por se harmonizar convosco, Mãe de Deus!
Este é certamente o que,
desprezada toda a criatura,
só a Deus se consagra com singular amor e,
crucificado com Cristo,
anseia com ardor a salvação das almas.

Ó Maria, sois a vida, doçura e esperança nossa!
Sois a Mãe de misericórdia!
Mãe que nos lava das sujidades dos pecados.
Compreendeis e aclamais os gemidos,
alimentai-nos com néctar saboroso de vosso seio,
embalai-nos com amor em vossos braços.
Mas, por que, ó Mãe, nos amastes tanto?
Por que nos inundais com o vosso afeto?
Por que nos encheis com o nosso Deus?
Por que nos inebriais com o amor de vosso Filho,

se não somos bons para retribuir seja o que for?
Mãe dulcíssima, não podemos fugir de vós,
mas sempre repousamos em vosso regaço de doçuras.
Verdadeira doçura,
que lançais fora o amargor do pecado pelo perdão,
que nos dais a doçura da graça e da vida,
que nos introduzis nas suaves visões da pátria celeste!
Doce Senhora, cuja só lembrança nos abranda os sentimentos;
cuja magnificência eleva a mente que a medita;
cuja beleza nos recreia, inebria o coração!
Ó Senhora, que arrebatais o coração pela doçura!
Ó arrebatadora de corações,
quando me restituireis o meu?
Quereis guardá-lo sempre?
Inebrio-me de vosso amor
e então não distingo mais meu coração
e já não sei pedir outra coisa que vosso coração.
Mas a partir do momento em que meu coração
estiver assim embriagado de vossa doçura,
governai-o com o vosso,
conservai-o com o vosso,
e ponde-o no lado de vosso Filho.
Tocarei, então, o que procuro,
então possuirei o que espero,
porque sois nossa esperança...
Não é verdade que nos amais sem comparação
mais do que nossas mães segundo a carne,
e garantis mais nosso bem?
Se quereis, pois, tornar-me glorioso,
e seguramente o quereis, que poderia impedir-nos disso?
Esperem em vós os que conhecerem o vosso nome,

porque não abandonais os que vos buscam, Senhora!
Os que esperam em vós, tornar-se-ão fortes,
receberão asas como águias e voarão,
não hão de cair, correrão e não sentirão fadiga alguma.

HINO MARIANO
São Boaventura, 1218-1274

Nós te louvamos, Mãe de Deus;
nós te confessamos, Virgem Maria.
A terra inteira te venera como Esposa do Pai Eterno;
todos os anjos e arcanjos,
e todos os principados te servem humildemente.
Todas as potestades e as virtudes supremas
do mais alto dos céus, como todas as dominações, obedecem a ti.
Todos os tronos, querubins e serafins, estão alegremente junto de ti.
Todas as criaturas angélicas te proclamam com voz inefável:
Santa, Santa, Santa Maria, Virgem e Mãe de Deus,
os céus e a terra estão cheios da Majestade da glória do Fruto de teu ventre.
Glorioso coro dos Apóstolos te louva como Mãe de seu Criador.
Alvo cortejo dos Mártires te glorifica como Mãe de Cristo.
Glorioso exército dos confessores te chama templo da Trindade.
Amável coro das virgens te exalta como exemplo de sua virgindade.
Toda a corte celeste te honra como Rainha dos céus.
A santa Igreja te celebra com invocações pelo mundo inteiro:
Mãe da Majestade divina,

verdadeira e venerável Mãe do Rei celeste,
santa, doce e piedosa.
Tu és a senhora dos Anjos.
Tu és a porta do céu.
Tu és a escada do reino celeste.
Tu és o tálamo do Rei da glória.
Tu és a arca da graça divina.
Tu és a fonte da misericórdia.
Tu és o refúgio do pecador.
Tu és a Mãe do Salvador.
Tu, para libertar o homem exilado, recebeste no seio o Filho de Deus.
Reino dos céus, vencido o velho inimigo foi por ti aberto aos fiéis.
Tu estás assentada com teu Filho à direita do Pai.
Tu, pede a Ele por nós, ó Virgem Maria, pois cremos que Ele virá para nos julgar.
Por isso te rogamos vem em socorro de teus servos, pois fomos remidos pelo precioso Sangue de teu Filho.
Faze com que sejamos premiados na glória eterna, ó Virgem sagrada, juntamente com teus servos.
Salva o teu povo, ó Senhora, para que possamos participar de tua herança.
E nos governa e salva por todo o sempre. Em todos os dias te saudamos, ó piedosa.
E desejamos louvar-te eternamente, com a voz e a razão devotas.
Digna-te conservar-nos sem pecado, ó doce Maria, agora e sempre.
Tem piedade de nós, ó piedosa, tem piedade de nós.
Que a tua misericórdia para conosco seja grande,

porque confiamos em ti, ó doce Maria.
Esperamos em ti, ó Senhora clementíssima, defende-nos para sempre.
A ti convém o louvor;
ti convém o império;
a ti convêm a força e a glória pelos séculos dos séculos. Amém.

STABAT MATER
Jacopone de Todi, 1228-1306

Estava dolorosa e lacrimosa a Mãe junto à cruz, donde pendia o Filho.
A sua alma, gemendo triste e aflita, foi traspassada por uma espada.
Oh, quão triste e aflita ficou aquela Mãe bendita do Filho Unigênito!
Ela, piedosa Mãe, gemia e chorava sentindo as penas do divino Filho!
Que homem não há de chorar, vendo a Mãe de Cristo em tal suplício?
Quem poderá contemplar sem tristeza a Mãe de Cristo, afligindo-se com seu Filho?
Por causa dos pecados do seu povo, via Jesus entregue aos sofrimentos e flagelado pelos açoites.
Via o terno Filho morrer desolado, entregar o espírito!
Ó Mãe, fonte de amor, fazei-me sentir a violência das vossas dores, a fim de que chore convosco.
Fazei que meu coração seja ardente em amar Cristo Deus, para que lhe agrade.
Ó santa Mãe, gravai profundamente as chagas do Crucificado no meu coração.
Reparti comigo as dores de vosso Filho que tanto se dignou sofrer por mim.

Fazei-me chorar convosco e compartir perpétua e piedosamente os sofrimentos do Crucificado.

Quero convosco ficar ao pé da cruz e unir-me a vós nos gemidos.

Ó Virgem, ilustre entre as virgens, não rejeiteis minha prece; deixai-me chorar convosco.

Fazei que se imprima em mim a morte de Cristo; que compartilhe as suas dores e venere as suas chagas.

Fazei que, ferido com as suas feridas, fique inebriado de amor à cruz e ao sangue do vosso Filho.

Que eu não seja consumido pelas chamas devoradoras e seja defendido por vós, ó Virgem, no dia do juízo.

Ó Cristo, quando eu tiver que deixar o mundo, concedei-me por vossa Mãe que alcance a palma da vitória.

Quando meu corpo morrer, dai à minha alma a glória do paraíso. Amém.

EIA, MARIA
Frei Conrado de Saxónia, século XIII

Eia, Maria, advogada nossa!
Vê como ainda é necessário para nós dizeres a teu Filho:
eles não têm mais vinho.
Porque a muitos de nós
falta o vinho da graça do Espírito Santo,
vinho da compunção, o vinho da devoção,
vinho da consolação espiritual.
Ó Maria, mãe da graça,
faze-nos filhos da graça.

Ó Maria, dize a Nosso Senhor
que és nossa irmã
para que, por causa de ti,
Deus nos faça o bem
e, graças a ti, nossa alma viva em Deus.

Ó Maria, dize ao Deus Uno e Trino que és nossa Mãe,
para que o Pai, o Filho e o Espírito Santo tenham piedade de nós.

Eia, pois, senhora poderosíssima,
sê nossa ajuda
em nossa fraqueza.

Ri, senhora sapientíssima,
sê nossa conselheira
em nossa ignorância.

Eia senhora riquíssima,
sê nossa riqueza
em nossa miséria.
Eia, senhora eterna,
sê nosso eterno bem
em nossa eterna deficiência.
Eia, senhora nossa, Maria, ajuda-nos
para que, sob tua orientação,
sejamos, filialmente, governados,
por Nosso Senhor Jesus Cristo, teu Filho. Amém.

MARIA, TEMPLO DA SANTÍSSIMA TRINDADE
Santa Catarina de Sena, 1347-1380

Maria, templo da Santíssima Trindade!
Maria, portadora do fogo divino,
Mãe de misericórdia, de vós brotou o fruto da vida, Cristo.
Sois a nova planta, de que recebemos a flor aromática do Verbo Unigênito, Filho de Deus, pois em vós, como em terra frutífera, foi semeado este Verbo...
Maria, carro de fogo, levastes o fogo, escondido e oculto, debaixo da cinza de vossa humanidade.
Se vos contemplo, ó Senhora, vejo que a mão do Espírito Santo escreveu em vós a Trindade, formando em vós o Verbo encarnado, Filho Unigênito de Deus.
Vejo, ó Maria, que este Verbo que se vos deu permanece em vós.
Maria, templo da Santíssima Trindade,
Maria, vaso de humildade,
agradastes tanto ao Pai eterno que ele vos arrebatou e atraiu para si, amando-vos com amor singular.
Com a luz e o fogo da vossa caridade e com o azeite da vossa humildade fizestes com que a divindade viesse até vós.
Maria, foi o medo que por ventura vos perturbou, quando ouvistes a palavra do Anjo?
Não! O vosso estremecimento denotava mais admiração do que medo.

Donde provinha, então, a vossa admiração?
Da grande vontade de Deus, quando, ao contemplar-vos a vós mesma, vos consideráveis indigna de graça tamanha.
Foi o ver a vossa indignidade e fraqueza, de um lado, e a graça inefável que Deus vos concedia do outro, que vos sumiu naquele estupor e admiração... e, por isso, aparecestes tão profundamente humilde.
Mais uma vez Deus respeitou em vós, ó Maria, a dignidade e a liberdade do homem, pois quis pedir-vos, por meio do Anjo, o vosso consentimento antes de o Verbo encarnar.
E o Filho de Deus desceu ao vosso seio, quando destes o consentimento.
Ele aguardava à porta de vossa vontade, para que lhe abrísseis e pudésseis entrar.
Nunca teria entrado, se não lhe tivésseis aberto, dizendo: eis a escrava do Senhor, faça-se em mim segundo a vossa palavra...
Maria, meu dulcíssimo amor, abristes a porta da vossa vontade à Divindade eterna e então o Verbo se encarnou logo em vós.
Com isso me ensinais que Deus me criou sem mim, mas não me salvará sem mim... me chama à porta da minha vontade e espera que eu lhe abra.

CÂNTICO A MARIA
Bernardino de Sena, 1380-1444

Ó Senhora, por todos e acima de todos bendita!
Tu és a honra e defesa do gênero humano;
tu és rica de méritos
e tens mais poder do
que qualquer outra criatura;
só tu és a Mãe de Deus;
tu és a senhora do universo, a rainha do mundo;
tu és a dispensadora de todas as graças;
tu és a perfeição do universo e a honra da santa Igreja;
tu és a satisfação condigna junto do dispensador de todos os bens;
tu és a incompreensível grandeza
de todas as virtudes, dons e graças;
tu és o escrínio pré-escolhido e digníssimo,
cinzelado pelo primeiro artífice,
capaz de conter a essência de Deus;
tu és o templo de Deus;
tu és o jardim de delícias;
tu és o exemplo de todas as pessoas boas,
consolo dos devotos
e a raiz e ornamento de toda a salvação;
tu és a porta do céu,

a alegria do paraíso
e a glória inefável do sumo Deus.

Verdadeiramente é balbuciando
que cantamos esses louvores e excelências tuas,
mas é suplicando que te pedimos
a tua imensa doçura.

Supre, com tua benignidade,
as nossas insuficiências,
para que possamos te louvar dignamente
pelos infinitos séculos dos séculos. Amém.

ATRAÍ-ME PARA VÓS, Ó VIRGEM MARIA
Raimundo Jordão, 1380

Atraí-me para vós, ó Virgem Maria,
para que eu corra ao odor de vossos perfumes.
Atraí-me que estou retido pelo peso de meus pecados
e pela malícia de meus inimigos.
Como ninguém vai ao vosso Filho,
se não o atrair o Pai eterno,
assim ouso dizer que, em certo modo também,
ninguém chega a ele se não o atraís
com vossas santas orações.
Sois vós que ensinais a verdadeira sabedoria;
vós que impetrais a graça aos pecadores,
porque lhes sois a advogada;
vós que prometeis a glória a quem vos honra,
porque sois a tesoureira das graças.
Achastes graça junto a Deus, ó dulcíssima Virgem,
pois fostes preservada do pecado original,
cheia do Espírito Santo,
e concebestes o Filho de Deus.
Recebestes todas essas graças,
ó muito humilde Maria,
não só para vós, mas também para nós,
a fim de que nos assistísseis
em todas as nossas necessidades.

E assim o fazeis, socorrendo os bons,
mantendo-os na graça e dispondo os maus
para receber a divina misericórdia.
Ajudai os moribundos,
protegendo-os contra as ciladas do demônio
e ainda depois da morte os socorreis,
vindo receber-lhes a alma
e levando-a para o reino da bem-aventurança.

PELA IGREJA E PELO VIGÁRIO DE CRISTO

Santa Catarina de Sena, séc. XIV

Ó Maria, templo da Santíssima Trindade! Ó Maria, distribuidora do Fogo! Maria, dispensadora da Misericórdia! Maria do fruto divino! Foi em vós, ó terra fecunda, que o Verbo, o único gerado por Deus, foi semeado... Foi pelo fogo da vossa caridade, pela doçura da vossa humildade, que atraístes sobre vós e fizestes descer para vós a sua divindade, embora seja verdade que Ele fosse já impelido a vir até nós pelo fogo ardentíssimo da sua incompreensível caridade...

Ó Maria, recorro a vós! A vós apresento a minha oração pela doce Esposa do vosso muito querido Filho e pelo seu Vigário na terra, para o qual peço a luz que lhe fará distinguir, com exata medida, os meios mais eficazes para a reforma da Santa Igreja. Fazei que o seu povo lhe permaneça unido, que o coração do povo esteja de acordo com o seu e que nunca se insurja contra o seu chefe.

SÚPLICA A MARIA
Santa Catarina de Bolonha, século XV

Rainha, piedosa, cheia de humildade,
estrela matutina, que surge na aurora
por tua bondade, Virgem bendita,
nossa advogada, sejas junto de Deus.
Ajuda-me, Senhora, no meu sofrimento,
porque tu és a Mãe do verdadeiro Messias.
Não demores mais, ó Virgem bela e pia,
livra-me desta angústia e me prende sob tua proteção.

Ó Mãe de Cristo, Virgem leal,
dá-me as asas do teu santo socorro
para que eu não perca o fruto de tão duras penas.

Sim, ajuda-me, ó Mãe do meu Senhor,
pela altura que te deu o seu amor,
fazendo-te Advogada do pecador.

Ó Senhora cortês, e cheia de caridade,
derrama em mim a tua piedade
e não mais me escondas a tua alta bondade.

Olha aqui, Mãe do Filho de Deus,
quanta preocupação me dá o feroz inimigo,
que me quer arrancar das mãos de teu doce Filho.

Socorre-me, Rainha, e não demores mais,
porque já veio a hora do mundo abandonar,
para que o inimigo não me possa devorar.

Ó esposa gentil do eterno Pai,
para isto foste criada, só para nos salvar; aconselha-me agora, sem mais demora.

Alteza imperial te foi doada,
para a salvação de todo o teu exército;
rogo-te que por mim rogues, ó doce Advogada. Amém.

SÚPLICA A MARIA
Frei Tomé de Jesus, 1529-1582

Ó Mãe de Deus, Virgem perpétua e puríssima, amparo dos atribulados, guia dos errados, ajudadora dos fracos e intercessora digníssima dos indignos pecadores: Oferecei este meu trabalho a vosso único Filho, com todos os que na vida passar, para que Ele os aceite em sacrifício.

Ó Corte celestial, em tudo cativa à vontade do Senhor, que sois pedras vivas dessa celestial cidade, e fostes aqui lavradas e limpas com muitos trabalhos e cruzes: alcançai-me luz do Senhor, para que o conheça; amor, com que o ame; conformidade com sua vontade, com que em tudo a ela me submeta. E pois passastes por minhas misérias, esforçai minha fraqueza na tribulação, para que, pela imitação de vossos trabalhos, mereça a companhia de vossa glória, vendo, adorando e amando perpetuamente ao Pai Criador, ao Filho Redentor e ao Espírito Santo Consolador, que vive e reina para sempre sem-fim, Deus, e Senhor do meu coração. Amém.

Ó VIRGEM MARIA
São José de Anchieta, 1597

Ó Virgem Maria,
mãe de Deus verdadeira,
que habitante do mundo há como tu?
Honrou-te
Deus, amando-te,
dentro de tuas entranhas como criança estando
(deitado).
Levando a Deus (deitado), está cheio teu ventre.
Que habitante do mundo
há como tu?
São João nenenzinho,
estando no ventre, ao perceber tua vinda,
ficou saltando,
Jesus, seu senhorzinho,
reconhecendo imediatamente.
Que habitante do mundo
há como tu?
Não houve sangue
em teu parto.
Tu, em teus braços,
Jesus ergueste
para alimentá-lo um pouco

em teu seio.
Que habitante do mundo
há como tu?
Seu Senhor procurando,
ao chegarem os Reis,
ao presenteá-lo,
alegra-se teu coração.
Rosto da criança
está alegre para eles.
Que habitante do mundo
há como tu?
Em tuas mãos sentando-se,
vai o menino,
por Deus-Pai
fazendo-te curvar a cabeça,
consolando-te,
por seu próprio Pai.
Que habitante do mundo
há como tu?

Ó VIRGEM MÃE
Erasmo de Rotterdam, 1466-1536

Ó Virgem Mãe: oxalá teu Filho nos conceda
que, à imitação de tua santíssima vida,
possamos conceber o Senhor Jesus
no mais íntimo de nossa alma.
E, uma vez concebido,
que jamais o percamos.

STELLA MARIS (ESTRELA DO MAR)
Lope de Vega, 1562-1635

Salve, estrela do mar, excelsa Mãe de Deus, sempre virgem, porta feliz do céu.

Recebendo aquela saudação dos lábios de Gabriel, estabelece-nos na paz, mudando o nome de Eva.

Solta as cadeias dos réus, restitui a luz aos cegos, afugenta os nossos males, consegue-nos todos os bens.

Mostra-te Mãe! Que receba por ti as nossas preces aquele que, nascido para nós, aceitou ser teu.

Virgem singular, doce dentre todas, livres de nossas faltas, faze-nos doces e castos.

Dá-nos vida pura, prepara-nos um caminho seguro, a fim de que, vendo Jesus, sempre nos alegremos.

Louvado seja Deus Pai, glória ao Cristo altíssimo, como ao Espírito Santo, aos três uma só glória.

ORAÇÃO PARA OBTER UMA BOA MORTE
Santo Afonso de Ligório, Doutor da Igreja, 1696-1787

Ó Maria, doce refúgio dos pobres pecadores, quando soar para minha alma a hora de sair deste mundo, vinde em meu socorro com vossa misericórdia, ó Mãe cheia de doçura. Fazei-o pelas dores que sentistes ao pé da cruz na qual morria vosso Filho. Afastai então de mim o infernal inimigo, e vinde receber minha alma e apresentá-la ao eterno Juiz.

Ó minha Rainha, não me desampareis. Vós haveis de ser, depois de Jesus, meu conforto neste terrível momento. Obtende-me da bondade do vosso Filho a graça de morrer eu abraçado a vossos pés e de exalar minha alma dentro de suas sacratíssimas chagas, dizendo: "Jesus e Maria, eu vos dou o meu coração e a minha alma".

PRECE A MARIA
São Leonardo de Porto Maurício, 1676-1751

Mãe Santíssima, Mãe piedosíssima conosco,
toma-me inteiramente indigno de ser teu filho;
não sou digno de ser chamado teu filho;
eu o confesso,
sou pecador demasiado grande,
amargurei demais o teu dulcíssimo coração;
não mereço que, em teu coração, haja amor por mim.
Mas eu sei que, mesmo tendo perdido o ser de filho,
tu não perdeste o ser de mãe,
e de mãe tão piedosa.
Espero que, recorrendo a ti, arrependido,
não me rejeites.
Eis-me, pois, aqui, ó grande Mãe das misericórdias.
Arrependo-me, de toda a minha vida,
e peço perdão a ti e a teu santíssimo Filho.
Por isso, perdoa-me, ó grande Virgem,
perdoa a um tão grande pecador.
Perdão, Maria Santíssima, perdão.
Digna-te ser para mim uma boa mãe,
e eu proponho ser para ti um verdadeiro filho.
Eu viverei como filho,
tu, assiste-me como mãe, para que eu tenha a sorte de salvar-me
por meio de ti, minha cara Mãe. Amém.

ATO DE CONSAGRAÇÃO À VIRGEM
Frei Melquior de Centina, século XVII

Santíssima Virgem Maria, Mãe de Deus e Senhora nossa; eu, indigno para ser contado no número dos vossos filhos e para ser considerado tal, mas confiante na vossa imensa piedade e impelido pelo desejo de servir-vos, ofereço-me como vosso servo e escravo, diante de São Miguel e Gabriel arcanjos, diante do meu santo anjo da guarda e diante dos santos Joaquim, Ana e José, diante dos apóstolos São Pedro e São Paulo e diante de toda a corte celeste, os quais chamo como testemunhas desta doação, com a qual me ofereço como vosso servo e vos escolho como minha padroeira e advogada.

Prometo-vos, firmemente, reverência, serviço e obediência. Ao mesmo tempo me comprometo a empenhar-me para que muitos outros vos sirvam e obedeçam.

Eu vos suplico, ó Mãe de misericórdia, e vos rogo humildemente pelo Sangue preciosíssimo que derramou por mim o vosso Filho, que me recebais no número dos vossos servos e devotos e que dirijais todas as minhas ações, palavras e pensamentos ao vosso serviço.

Obtende-me do vosso Filho bendito que em todas as minhas ações não haja nada que ofenda os vossos olhos e os d'Ele, e que, na hora de minha morte, não me priveis da vossa proteção e do vosso favor.

Ó Maria, doce refúgio dos pobres pecadores, quando soar para minha alma a hora de sair deste mundo, vinde em meu socorro com vossa misericórdia, ó Mãe cheia de doçura.

Ó minha Rainha, não me desampareis. Vós haveis de ser, depois de Jesus, meu conforto neste terrível momento. Obtende-me da bondade do vosso Filho a graça de morrer eu abraçado a vossos pés e de exalar minha alma dentro de suas sacratíssimas chagas, dizendo: "Jesus e Maria, eu vos dou o meu coração e a minha alma".

Ó clemente, ó pia, ó sempre doce Virgem Maria! Rogai por mim para que seja digno da promessa de Cristo, que, com o Pai e o Espírito Santo, vive e reina por todos os séculos dos séculos. Amém.

ORAÇÃO FILIAL E APOSTÓLICA
Santo Antônio Maria Claret, 1807-1870

Virgem e Mãe de Deus, eu me entrego por teu filho e servo.
Consagro-me ao teu Coração materno,
para que em mim formes teu filho Jesus,
o Filho, o Enviado do Pai, o Ungido pelo Espírito Santo
para anunciar a Boa-Nova aos pobres.
Ponho-me em tuas mãos, para que me envies
a todos os homens, filhos teus e irmãos meus.
Faze com que lhes revele o Pai.
Ensina-me a guardar, como tu, a Palavra no coração,
até transformar-me no Evangelho de Deus.
Converte-me em instrumento dócil do teu amor materno,
para que te suscite novos filhos pelo Evangelho.
Mãe, eis aqui teu filho: forma-me!
Mãe, eis aqui teu filho: envia-me!
Mãe, eis aqui teu filho: fala por mim, ama por mim, guarda-
-me!
Não aconteça que, anunciando a outros o Evangelho,
fique eu excluído do Reino.
Em ti, minha Mãe, coloco toda a minha confiança;
jamais ficarei confundido! Amém.

AVE, MARIA
Enrico Pea, 1900

Tens por diadema as estrelas do céu,
Mãe, e te ofereço um macinho de flores
com essas poucas sílabas de amor
na esperança de alcançar-te o coração.

Faço-me criança e chamo-te Maria,
e me responderás como responde
aos pequeninos a quem acaricias a cabeça.
Mandai-me novamente o teu Anjo da Guarda:
o poeta é criatura que se turba,
que tem medo de ficar sozinho.

NA HORA DA MORTE
Daniel Brottier

Na hora da morte, ó Maria, a quem tantas vezes tenho invocado, estai presente junto ao meu leito.

Estai lá, como estaria minha mãe, se fosse viva.

Talvez a minha língua paralisada já não possa pronunciar o vosso nome.

O meu coração, porém, há de sempre repeti-lo.

Chamo-vos agora, para esse difícil momento. Estarei sozinho, sem uma pessoa amiga que me cerre os olhos? Pouco importa. Morrerei, sorrindo porque vós estais presente.

Assim o espero, assim o creio, disso estou certo.

MÃE QUERIDA
São Francisco de Sales

Lembrai-vos, Virgem dulcíssima, que sois minha Mãe e que eu sou vosso filho; que vós sois poderosa e que eu sou pobre e fraco.

Suplico-vos que me guieis em todos os meus caminhos e ações, Mãe dulcíssima, Mãe querida!

Virgem graciosa, que não podereis vós, se o vosso muito amado Filho vos deu tanto poder, no Céu e na terra?

Portanto, se sois minha Mãe e tão poderosa, como podereis deixar de me prestar socorro e assistência?

Para hora e glória do vosso Filho, aceitai-me como filho vosso, sem reparar nas minhas misérias e pecados. Livrai a minha alma e o meu corpo de todo o mal e dai-me todas as vossas virtudes.

ORAÇÃO A MARIA
São Tomás de Aquino

Ó santíssima e dulcíssima Virgem Maria, Mãe de Deus, cheia de toda a piedade, filha do Sumo Rei, Senhora dos Anjos; ó Mãe do Criador de todas as coisas!

À vossa materna piedade eu confio, hoje e todos os dias da minha vida, o meu corpo e a minha alma, todos os meus atos, pensamentos, volições, desejos, palavras e obras, toda a minha vida e o meu último fim, para que, por vossa intervenção, encaminhem-se ao bem, segundo o beneplácito de vosso dileto Filho, Nosso Senhor Jesus Cristo, e sejais meu auxílio e consolação contra as ciladas e os laços de todos os meus inimigos.

JESUS CONFIOU A IGREJA A TI

Chiara Lubich
Fundadora do Movimento dos Focolares, 1920-2008

Maria, pelo teu amor por nós,
dá-nos um pouco da tua fé, da tua esperança,
da tua caridade, da tua fortaleza,
da tua perseverança, da tua constância,
da tua humildade, da tua pureza,
da tua mansidão, da tua misericórdia,
de todas as tuas virtudes, que – descrevendo-as –
entendemos uma vez mais em que grau tu as viveste.
Jesus confiou a Igreja a ti,
mas pela paixão por ela, que nos arde no coração,
ousamos interpor junto a ti também a nossa súplica,
a fim de que em breve aconteça
a unidade de toda a cristandade.

MARIA, MÃE DE JESUS
Santa Teresa de Calcutá, †1998

Maria, Mãe de Jesus,
sede uma Mãe para cada um de nós,
a fim de que o nosso coração
seja puro como o vosso,
a fim de que, como vós,
nós amemos a Jesus,
a fim de que estejamos, como vós,
ao serviço dos mais pobres,
todos nós, que somos pobres de Deus.

MARIA RAINHA
Pio XII, Discurso 1/11/1950

Virgem Imaculada, Mãe de Deus e Mãe dos homens, nós cremos com todo o fervor da nossa fé na vossa Assunção triunfal em corpo e alma ao céu, onde sois aclamada Rainha por todos os coros dos Anjos e por todos os exércitos dos santos. E juntamo-nos a eles para louvar e bendizer o Senhor, que vos exaltou acima de todas as outras simples criaturas.

Nós temos que na glória onde reinais, vestida de sol e coroada de estrelas, vós sois, depois de Jesus, o júbilo e a alegria de todos os Anjos e de todos os Santos. E nós, desta terra onde passamos como peregrinos, reconfortados com a Fé da ressurreição futura, erguemos os nossos olhos para vós, nossa vida, nossa doçura, esperança nossa. Atraí-nos com a suavidade da vossa voz para nos mostrardes um dia, depois do nosso desterro, Jesus, bendito fruto do vosso ventre, ó clemente, ó piedosa, ó doce Virgem Maria.

Ó Mãe de misericórdia!
Intercedei junto a Deus
e dai-nos a graça
da reconciliação cristã entre os povos.
Dai-nos as graças
que em um instante possam converter
os corações humanos,

aquelas graças que possam preparar
e assegurar a esperada paz.
Rainha da paz, rogai por nós
e consegui para o mundo
a paz na verdade,
na justiça,
na caridade de Cristo.

ORAÇÃO DAS MULHERES CRISTÃS A MARIA
Pio XII

Ó Maria, "cheia de graça e bendita entre as mulheres", estendei a mão da vossa proteção maternal sobre nós, vossas filhas, reunidas junto do vosso trono de Rainha, dóceis a vossas indicações e decididas a realizar em nós próprias o ideal da verdade e perfeição cristã. O nosso olhar fixa-se em vós com admiração, ó donzela imaculada e querida do Pai!

Ó esposa do Espírito Santo e Mãe terníssima de Jesus, obtende-nos de ambos poder refletir em nós as vossas sublimes virtudes. Fazei que sejamos puras e sem mancha nos nossos sentimentos e costumes; companheiras meigas, afetuosas e compreensivas para com nossos maridos; mães carinhosas, diligentes e atentas para nossos filhos.

Ó Mãe de misericórdia!
Intercedei junto a Deus
e dai-nos a graça
da reconciliação cristã entre os povos.
Dai-nos as graças
que em um instante possam converter os corações humanos,
aquelas graças que possam preparar
e assegurar a esperada paz.
Rainha da paz, rogai por nós

e consegui para o mundo
a paz na verdade,
na justiça,
na caridade de Cristo.

ORAÇÃO A MARIA, MÃE DA IGREJA
Paulo VI

Ó Virgem Maria, Mãe da Igreja, a vós recomendamos a Igreja inteira.

Assisti e protegei os Bispos na sua missão apostólica e todos os sacerdotes, religiosos e leigos que os ajudam em seus árduos trabalhos.

Vós, que pelo vosso próprio Filho Divino, no momento de sua morte redentora, fostes apresentada como Mãe do discípulo predileto, lembrai-vos do povo cristão que em vós confia.

Lembrai-vos de todos os vossos fiéis; valorizai diante de Deus as suas orações; conservai firme a sua Fé, fortificai a sua esperança; aumentai-lhes a caridade.

Lembrai-vos daqueles que se encontram nas tribulações, nas necessidades, nos perigos; daqueles, sobretudo, que sofrem perseguições ou estão encarcerados por causa da Fé. Para eles, ó Virgem, impetrai a fortaleza e apressai o dia suspirado de justa liberdade.

Olhai com olhos benignos os nossos irmãos separados e dignai-vos unir-nos, vós que gerastes o Cristo, elo entre Deus e os homens.

Ó templo da luz sem sombras e sem mancha, intercedei, junto de vosso Filho Unigênito, Mediador da nossa reconciliação com o Pai, para que conceda misericórdia a nossas faltas e afaste toda discórdia entre nós, dando a nossas almas a alegria de amar.

Ao vosso Coração Imaculado, ó Maria, recomendamos também o gênero humano inteiro; levai-o ao conhecimento do único e verdadeiro Salvador, Jesus Cristo, afastando deles os flagelos provocados pelo pecado, daí ao mundo inteiro a paz na verdade, na justiça, na liberdade e no amor.

E fazei que a Igreja inteira possa sempre elevar ao Deus das misericórdias o hino de louvor e de Ação de Graças, o hino da alegria e da exultação, porque Deus operou grandes cousas por vosso intermédio, ó clemente, ó piedosa, ó doce Virgem Maria.

ORAÇÃO DO PAPA JOÃO PAULO II

Na Basílica de Nossa Senhora Aparecida em sua visita ao Brasil em 1980

Ó Mãe, fazei que esta Igreja, a exemplo de Cristo, servindo constantemente o homem, seja a defensora de todos, em particular dos pobres e necessitados, dos socialmente marginalizados e espoliados. Fazei que a Igreja do Brasil esteja sempre a serviço da justiça entre os homens e contribua ao mesmo tempo para o bem comum de todos e para a paz social.

Ó Mãe, abri os corações dos homens e dai a todos a compreensão de que, somente no espírito do evangelho e seguindo o mandamento do amor e as bem-aventuranças do sermão da montanha, será possível construir um mundo mais humano, onde será valorizada, verdadeiramente, a dignidade de todos os homens.

Ó Mãe, concedei à Igreja do Brasil numerosas vocações sacerdotais e religiosas. Acolhei os adultos e os anciãos, os jovens e as crianças. Acolhei também os trabalhadores do campo e da indústria, os intelectuais das escolas e universidades, os funcionários de todas as instituições.

Não cesseis, ó Virgem Aparecida, pela vossa mesma presença, de manifestar nesta terra que o amor é mais forte que a morte, mais poderoso que o pecado. Não cesseis de mostrar-nos Deus, que amou tanto o mundo, a ponto de entregar o seu Filho Unigênito, para que nenhum de nós pereça, mas tenha a vida eterna.

Amém.

ORAÇÃO A NOSSA SENHORA APARECIDA

No ano de 1717 Domingos Garcia, João Alves e Felipe Pedroso, três pescadores, encontraram uma imagem de Nossa Senhora da Conceição, em Guaratinguetá. A partir daí, iniciou-se o culto à santa, que realizava milagres, sendo proclamada, em 1930, Padroeira do Brasil pelo papa Pio XI

Ó incomparável Senhora da Conceição Aparecida,
Mãe de Deus,
Rainha dos Anjos,
Advogada dos pecadores,
refúgio e consolação dos aflitos
e atribulados,
Virgem Santíssima,
cheia de poder e de bondade,
lançai sobre nós um olhar favorável,
para que sejamos socorridos por vós,
em todas as necessidades em que nos acharmos.

Lembrai-vos,
ó clementíssima Mãe Aparecida,
de que nunca se ouviu dizer que algum daqueles
que têm a vós recorrido,
invocado vosso santíssimo nome
e implorado vossa singular proteção,
fosse por vós abandonado.
Animados com esta confiança,
a vós recorremos.

Tomamos-vos de hoje para sempre por nossa Mãe, nossa protetora,
consolação e guia,
esperança e luz na hora da morte.
Livrai-nos de tudo o que possa ofender-vos
e a vosso Santíssimo Filho, Jesus.

Preservai-nos de todos os perigos da alma e do corpo;
dirigi-nos em todos os negócios espirituais e temporais.
Livrai-nos da tentação do demônio,
para que, trilhando o caminho da virtude,
possamos um dia ver-vos e amar-vos na eterna glória,
por todos os séculos dos séculos.
Amém.

CONSAGRAÇÃO DO MUNDO AO CORAÇÃO DE MARIA

Ó Mãe dos homens e dos povos, vós, que conheceis todos os meus sofrimentos e as minhas esperanças, vós, que sentis maternamente todas as lutas entre o bem e o mal, entre a luz e as trevas, que abalam o mundo contemporâneo, acolhei o nosso clamor, que, movidos pelo Espírito Santo, elevamos diretamente ao vosso Coração, e abraçai com o amor de Mãe e de Serva este nosso mundo humano, que vos confiamos e consagramos, cheios de inquietação pela sorte terrena e eterna dos homens e dos povos.

De modo especial vos entregamos e consagramos aquelas pessoas e aquelas nações, que dessa entrega e dessa consagração particularmente têm necessidade.

"À vossa proteção nos acolhemos Santa Mãe de Deus!" Não desprezeis as nossas súplicas, pois nos encontramos na provação! Não desprezeis!

Soberana minha e minha Mãe: é perante o céu e a terra, perante os anjos e os santos, que vos escolho por minha protetora, minha Mãe, meu abrigo e meu refúgio, consagrando-me para sempre ao vosso serviço. Tudo o que é meu é vosso, minha Soberana: meus pensamentos, minhas ações, meus afetos, meus bens, meu corpo e minha alma.

Sendo eu propriedade vossa, zelai, ó Mãe, pelo bem que vos pertence. Afastai de mim as ocasiões perigosas, livrai-me de todo mal, sustentai a minha fraqueza, assisti-me em todos os momentos de minha vida.

Abençoai meu pai, minha mãe, toda a minha família, em cujo favor, de joelhos, imploro a vossa proteção e o vosso amparo. Dai-nos a todos o céu, onde espero continuar a amar--vos pelos séculos sem-fim. Amém.

TEU NASCIMENTO
Do Rito Armênio

Mais sublime que os Serafins
e os Querubins dos muitos olhos,
ó Mãe do Senhor, Virgem Santa,
Arca da Aliança, Vaso de ouro,
Altar misterioso do Verbo do Pai,
as Igrejas do Universo festejam hoje,
com cânticos de bênçãos,
a solenidade do teu nascimento.

LOUVOR
Anáfora etíope

Ó Maria, vastidão do céu,
fundamento da terra,
profundidade dos mares, luz do sol,
beleza da lua,
esplendor das estrelas do céu...
Teu seio carregou o próprio Deus,
diante de cuja majestade
o homem se sente impressionado.

Tuas entranhas contiveram o carvão ardente.
Teus joelhos sustentaram o leão,
terrível em sua majestade.

Tuas mãos tocaram
Aquele, que é intocável,
e o fogo da divindade que nele reside.

Teus dedos parecem as pinças incandescentes
com que o profeta recebia o carvão
para a oblação celeste.

És o cesto onde está o pão ardendo em chama,
e és o cálice onde o vinho foi colocado.

Ó Maria, que em teu seio formaste
o fruto da oblação...
pedimos-te, incessantemente,
que nos guardes do inimigo que vive a rondar-nos.
E, assim como não se separa
a mistura da água com o vinho,
nós também não nos separemos de ti e do teu Filho,
Cordeiro da Salvação.

ORAÇÃO A MARIA, MÃE DE DEUS

Da Liturgia Alexandrina

Ave, Maria! Nós te pedimos, santíssima e cheia de glória, Mãe de Deus, Mãe de Cristo, que apresentes as nossas orações a teu amado Filho, para que Ele perdoe nossos pecados.

Salve, Virgem Santa, Mãe da verdadeira luz, Cristo nosso Deus!

Intercede por nós para que o Senhor tenha piedade de nossas almas e nos perdoe de nossos pecados.

Ó Virgem Maria, Mãe de Deus, fiel advogada do gênero humano! Suplica a Cristo, teu Filho, para que nos conceda o perdão de nossos pecados.

Salve, ó Virgem, Rainha verdadeiramente justa! Salve, honra do gênero humano, da qual nasceu o Emanuel. Protege-nos, suplicamos-te, ó fiel Advogada, diante de nosso Senhor Jesus Cristo, para que Ele perdoe nossos pecados. Amém.

PANAGHIA PSYCHOSOSTRIA

Toda santa, salvadora das almas
Da liturgia bizantina

Santíssima Mãe de Deus, salva-nos!
Cura, ó Virgem, a enfermidade
da minha alma e as dores do meu corpo,
para que eu te glorifique, ó plena de graça.

Santíssima Mãe de Deus, salva-nos!
Ó Mãe de Deus, que geraste para nós
o Cristo Salvador, digna-te curar o langor
dos corpos e a enfermidade das almas
de todos aqueles que, com amor, confiam na tua divina proteção.

Santíssima Mãe de Deus, salva-nos!
Os assaltos da paixão me transtornam
e enchem de grande desânimo a minha alma.
Ó Virgem Puríssima, concede um pouco de paz
à minha alma, aquela paz que é dom do teu Filho.

Santíssima Mãe de Deus, salva-nos!
Ó Mãe de Deus, digna de todo louvor,
volta teu olhar benigno
para a grave moléstia do meu corpo
e sara as chagas de minha alma.

Santíssima Mãe de Deus, salva-nos!
Por causa dos meus inúmeros pecados,
está enfermo o meu corpo, assim como a minha alma.
Junto de ti me refugio, ó plena de graça.
Ó esperança dos desesperados, vem em meu auxílio.

Santíssima Mãe de Deus, salva-nos!
Ó Senhora, Mãe do Redentor,
acolhe a súplica dos teus servos,
intercede junto daquele que de ti nasceu.
Ó Rainha do mundo, sê nossa mediadora!

Ó MÃE DE BONDADE

Ó Mãe de bondade e misericórdia, Santa Virgem Maria, eu, pobre e indigno pecador, a vós recorro com todo o afeto do meu coração, implorando a vossa piedade.

Assim como estivesses de pé junto à cruz do vosso Filho, também vos digneis assistir-me, não só a mim, pobre pecador, como a todos os sacerdotes que hoje celebram a Eucaristia em toda a santa Igreja.

Auxiliados por vós, possamos oferecer ao Deus Uno e Trino a vítima do seu agrado.

Amém.

Ó MARIA, VIRGEM E MÃE SANTÍSSIMA

(Em ação de graças após a comunhão eucarística)

Ó Maria, Virgem e Mãe santíssima, eis que recebi o vosso amado Filho, que concebestes em vosso seio imaculado e destes à luz, amamentastes e estreitastes com ternura em vossos braços.

Eis que, humildemente e com todo o amor, apresento-vos e ofereço de novo aquele mesmo, cuja face vos alegrava e enchia de delícias, para que, tomando-o em vossos braços e amando-o de todo o coração, o apresenteis à Santíssima Trindade em supremo culto de adoração, para vossa honra e glória, por minhas necessidades e pelas de todo o mundo.

Peço-vos, pois, ó Mãe compassiva, que imploreis a Deus o perdão dos meus pecados, graças abundantes para servi-lo mais fielmente e a perseverança filial, para que convosco possa louvá-lo para sempre. Amém.

BENDITA ÉS TU
Lorenzo Amigo

Bendita és Tu, Maria, porque em ti a história do teu povo chegou à sua plenitude.

Bendita és Tu, Maria, que trouxeste no teu seio o Filho do Eterno Pai.

Bendita és Tu, Maria, porque pela fé foste Mãe do Salvador.

Bendita és Tu, Maria, porque foste ao mesmo tempo Virgem e Mãe.

Bendita és Tu, Maria, porque de ti recebemos o Autor da Vida e, por isso, chamamos-te de Mãe.

Bendita és Tu, Maria, que recebeste o Espírito que te cobriu com a sua sombra.

Bendita és Tu, Maria, que trouxeste em teu seio o Filho do Eterno Pai.

Bendita és Tu, Maria, que estiveste nas Bodas de Caná e ajudaste a despertar a fé dos Discípulos.

Bendita és Tu, Maria, que no meio das dores do teu Filho agonizante foste proclamada nossa Mãe.

Bendita és Tu, Maria, que reuniste no Cenáculo os Discípulos, esperando o Espírito Santo.

ORAÇÃO DE UM JOVEM
João XXIII, 5/10/1899, aos 18 anos

Viva Maria Imaculada! A única, a mais bela, a mais santa, a mais querida por Deus, dentre todas as criaturas. Ó Maria, parece-me tão bela que, se não soubesse que a Deus se rende honra suprema, eu te adoraria. És bela; mas quem pode dizer quanto és boa?...

Ó Maria, já que eu não fui o que deveria ser, já que mais vivamente que nunca me lembras as minhas especiais obrigações, conserva-me sempre nestas disposições da alma, isto é, com o máximo fervor de espírito na prática do bem.

De novo me consagro a ti, minha mãe; dá-me um pouco desse bom gosto, dessa delicadeza no bem, de que tanto me vejo privado e que tanta perfeição daria às minhas obras. Que o meu pensamento se volte muitíssimas vezes para ti, de ti fale a boca, por ti suspire o coração. Sobretudo te recomendo aquele assunto que bem sabes qual é: tu entendes-me, faz-me humilde e serei santo, faz-me humílimo e serei santíssimo.

A ti consagro as mortificações, que com o teu auxílio me proponho fazer. Mas estás-me tu sempre presente na piedade, e igualmente no estudo; ilumina-me a mente naquelas verdades que tratam de ti e do teu filho. Finalmente, ó Mãe Imaculada, introduz-me junto de Jesus, meta última dos meus afetos; liga-me estreitamente a Jesus, ajuda-me a tornar-me louco de amor por Ele.

ORAÇÃO A NOSSA SENHORA
Léonce de Grandmaison

Santa Maria, Mãe de Deus,
conservai-me um coração de criança,
puro e transparente como uma nascente.
Alcançai-me um coração simples, que não saboreie as tristezas;
um coração fiel e generoso que não esqueça nenhum bem,
nem guarde rancor de nenhum mal.
Formai em mim um coração manso e humilde,
que ame sem pedir recompensa;
um coração grande e invencível que não se feche com nenhuma ingratidão,
nem se canse com nenhuma indiferença;
um coração atormentado pela glória de Jesus Cristo,
ferido pelo seu amor e cuja ferida só se curte no céu.

QUANDO SERÁ?
São Maximiliano Kolbe

Quando será, minha Mãezinha Imaculada, que virás a ser a Rainha de todos e de cada alma individual? Quando?...

Vê quão numerosos são ainda os que não te conhecem nem amam! Quantos corações existem, nesta mísera terra, que, ao ouvir falar de ti, ainda perguntam: "Quem é Maria? Quem é a Imaculada?" Pobrezinhos! Não conhecem a sua Mãe, não sabem quanto os amas, ou, pior, nem sequer pensam nisso!...

Não obstante, tu os amas de igual modo e desejas que te conheçam e amem, e adorem a infinita misericórdia do Coração divino do teu Filho, que tu personificas.

Pois bem, quando será que eles te hão de conhecer, amar e serão repletos da tua paz e da tua felicidade?

Teu humilde "O Cavaleiro da Imaculada", graças a ti, associou-se a muitos outros dos teus apaixonados e se empenhou em proclamar, conquanto de maneira muito bisonha, a tua bondade. Por seu intermédio, dignaste-te atrair muitos corações, introduzindo-o em muitos lares, tanto na Polônia como fora dela. Mais ainda, por seu intermédio, dignaste-te falar às almas também em língua japonesa.

Tudo isso é apenas um começo, porque quantas almas há que ainda nada sabem de ti!...

Quando será que todas as almas que vivem no globo terrestre conhecerão a bondade e o amor do teu Coração para com elas? Quando é que toda a alma te retribuirá com um amor ardente, obra não só de um sentimento fugaz mas da total entrega da sua vontade a ti... para que tu mesma possas reinar nos corações de todos e de cada um em particular e formá-los à imitação do Sagrado Coração do teu Divino Filho, torná-los felizes e divinizá-los?... Quando acontecerá isso?...

Esforcemo-nos todos por apressar esse momento, permitindo, antes de mais, à Imaculada que se aposse, de modo indissolúvel, do nosso coração, e conquistando, segundo as nossas possibilidades, quais instrumentos em suas mãos imaculadas, o maior número de almas para ela, com a oração, a oferta dos nossos sofrimentos e o trabalho.

Que grande paz e felicidade nos invadirão na hora da morte, ao pensar no muito, no muitíssimo que nos afadigamos e sofremos pela Imaculada...!

SENHORA DO SILÊNCIO
Inácio Larrañaga

Mãe do silêncio e da humildade,
tu vives perdida e encontrada
no mar sem fundo do mistério.
És disponibilidade e receptividade.
És fecundidade e plenitude.
És atenção e solicitude pelos irmãos.
Estás vestida de fortaleza.
Em ti resplandecem a maturidade humana e divina
e a elegância espiritual.
És senhora de ti mesma,
antes de ser senhora nossa.

Em ti não existe dispersão.
Em um ato simples e total,
tua alma, toda imóvel,
está paralisada e identificada com o Senhor.
Estás dentro de Deus, e Deus, dentro de ti.
O mistério total envolve-te e te penetra,
possui-te, ocupa e integra o teu ser.
Parece que tudo ficou paralisado em ti,
tudo se identificou contigo:
o tempo, o espaço, a palavra,
a música, o silêncio, a mulher, Deus.
Em ti, tudo ficou assumido e divinizado.

Jamais foi vista outra figura humana de tanta doçura,
nem se voltará a ver sobre a terra mulher tão inefavelmente evocadora.
Entretanto, teu silêncio não é ausência, mas presença.
Estás abismada no Senhor e, ao mesmo tempo,
atenta aos irmãos, como em Caná.

Nunca a comunicação é tão profunda como quando não se diz nada
e nunca o silêncio é tão eloquente como quando nada se comunica.
Faze-nos compreender que o silêncio não é desinteresse pelos irmãos,
mas fonte de energia e irradiação;
não é fechar-se, mas abrir-se,
e que, para derramar-se, é preciso carregar-se.

O mundo afoga-se no mar da dispersão, e não é possível amar os irmãos
com um coração disperso.
Faze-nos compreender que o apostolado,
sem o silêncio, sem o apostolado, é comodidade.
Envolve-nos no manto do teu silêncio,
e comunica-nos a força da tua fé,
a altura da tua esperança,
e a profundidade do teu amor.
Fica com os que ficam, e vai com os que vão,
ó Mãe admirável do silêncio.

HINO À IMACULADA CONCEIÇÃO
Tradicional

Ó Virgem Mãe de Deus,
das virgens guardiã,
ó porta azul dos céus,
estrela da manhã.

És lírio entre os espinhos,
és pura sem igual,
brilhando nos caminhos
da culpa original.

Estrela na procela,
tu és nossa esperança:
o porto se revela,
e a nau, segura, avança.

És torre inabalada,
farol que nos conduz,
trazendo, imaculada,
o bálsamo: Jesus.

A culpa onipresente
não mancha a tua aurora:

venceste a vil serpente.
Protege-nos agora!

És mãe, esposa e filha
do Deus, que é uno e trino:
tão grande maravilha
cantamos neste hino.

MÃE DO CÉU MORENA
Padre Zezinho

Mãe do céu morena,
Senhora da América Latina,
de olhar e caridade tão divina,
de cor igual à cor de tantas raças.

Virgem tão serena,
Senhora desses povos tão sofridos,
patrona dos pequenos e oprimidos,
derrama sobre nós as tuas graças.

Derrama sobre os jovens tua luz,
aos pobres vem mostrar o teu Jesus,
ao mundo inteiro traz o teu amor de Mãe.

Ensina quem tem tudo a partilhar,
ensina quem tem pouco a não cansar
e faz o nosso povo caminhar em paz.

Derrama a esperança sobre nós,
ensina o povo a não calar a voz,
desperta o coração de quem não acordou.

Ensina que a justiça é condição
de construir um mundo mais irmão
e faz o nosso povo conhecer Jesus.

CONSOLO DO MORTAL
Antonio Arnao

Maria, cujo semblante
banha a aurora eterna,
qual sol brilhante,
consolo do mortal.

A todo o que te implora
com voz humilde e terna,
mostra por fim, senhora,
a pátria celestial.
Maria, cujo seio
do Verbo foi morada,
paraíso por graça cheio
do mais divino amor,
pois olhas o rompimento
da alma conturbada,
empresta teu excelso manto
refúgio do pecador.

Maria poderosa,
Rainha do céu e terra,
que trilhas vitoriosa
à frente de Luz bel.

Por Deus, que te fez, pode
vencer na cruel guerra;
sejas do cristão escudo,
proteção do peito infiel.

Qual servo de teu nome
luzeiro dos mares
assim se humilha o homem
buscando vida com luz.

De polo a polo, finalmente,
do mundo nos altares
reine sempre somente
a glória da Cruz.

A NOSSA SENHORA DAS VITÓRIAS
Júlio Fragata

Senhora, que nasceste imaculada, guarda a minha vida sem mancha: que eu não negue nada ao Senhor.

Senhora, Mãe de Jesus, faz crescer Jesus em mim; prepara-o em mim para ir à Paixão e à Ressurreição para salvação dos meus irmãos.

Senhora, minha Mãe, guarda o meu coração para que saiba amar só como Jesus ama e só em Jesus.

E sê sempre em mim a "Senhora das Vitórias".

LIVRAI-NOS, SENHORA!
João Paulo II, Fátima, 13/5/82

Oh, Coração Imaculado! Ajudai-nos a vencer a ameaça do mal, que tão facilmente se enraíza nos corações dos homens de hoje e que, nos seus efeitos incomensuráveis, pesa já sobre a nossa época e parece fechar os caminhos do futuro!

Da fome e da guerra, livrai-nos!

Da guerra nuclear, de uma autodestruição e de toda espécie de guerra, livrai-nos!

Dos pecados contra a vida do homem, desde os seus primeiros instantes, livrai-nos!

Do ódio e do aviltamento da dignidade dos filhos de Deus, livrai-nos!

De todo o gênero de injustiça na vida social, nacional e internacional, livrai-nos!

Da facilidade em calcar aos pés os mandamentos de Deus, livrai-nos!

Dos pecados contra o Espírito Santo, livrai-nos, livrai-nos!

Acolhei, ó Mãe de Cristo, este clamor carregado do sofrimento de todos os homens! Carregado do sofrimento de sociedades inteiras!

Que se revele, uma vez mais, na história do mundo, a força infinita do Amor misericordioso! Que ele detenha o mal! Que ele transforme as consciências! Que se manifeste para todos, no vosso Coração Imaculado, a luz da Esperança!

ORAÇÃO A NOSSA SENHORA DA PENHA

Aprovada pelo 1º bispo do Espírito Santo, Dom João Nery, em 23 de abril de 1901

Ó Maria Santíssima, Senhora da Penha,
em cujas mãos depositou Deus todos os tesouros das suas graças,
constituindo-vos amorosa e larguíssima dispensadora,
a todos os que a vós recorrem com viva fé.

Eis-me cheio de esperança no vosso eficacíssimo patrocínio, solicitando, humildemente, vossa proteção e amparo.

Não negueis o vosso favor, ó cara Mãe, a este amoroso, embora indigno, filho. Recordai-vos, ó Senhora da Penha, que nunca se ouviu dizer que algum dos que em vós tem depositado toda a sua esperança tenha ficado iludido.

Consolai-me, pois, ó amorosíssima Senhora, com vossas graças, que, tão instantemente, peço, a fim de continuar a honrar-vos na terra, com meu cordial reconhecimento até que possa, um dia, no céu, mais dignamente agradecer-vos todos os benefícios recebidos, nos séculos dos séculos. Assim seja.

ORAÇÃO A NOSSA SENHORA DOS PRAZERES

Padre Antônio Carlos D'Elboux

Nossa Senhora dos Prazeres, nossa mãe querida,
lembrando-nos de vossas grandes alegrias:
a Anunciação do Senhor,
a visita à vossa prima Santa Isabel,
nascimento do Menino Deus,
a Adoração dos Magos ao vosso divino Filho,
encontro de Jesus no Templo,
a Ressurreição de Cristo
e a vossa gloriosa Assunção,
queremos pedir vossa intercessão por nós
e pelas nossas famílias junto a Deus.
Que Ele nos livre das doenças e dos perigos,
do desemprego e da desunião.
Nossa Senhora dos Prazeres,
ajudai-nos a sermos bons seguidores
de vosso adorado Filho, lendo e refletindo a Bíblia Sagrada,
alimentando-nos de Jesus na Eucaristia
e participando ativamente de nossa Comunidade.
Queremos viver o mandamento do amor para com todos
e caminhar em nossa vida dentro da justiça,
colaborando para a construção da paz e da fraternidade.
Senhora dos Prazeres, vinde encher de alegria a nossa vida.

Afastai de nós toda espécie de tristeza.
Rogai por nós, que recorremos a vós!
Amém.

ORAÇÃO A NOSSA SENHORA DA BOA VIAGEM

Dom Antônio dos Santos Cabral, primeiro arcebispo de Belo Horizonte, MG

Virgem Santíssima, Senhora da Boa Viagem,
esperança infalível dos filhos da Santa Igreja,
sois guia e eficaz auxílio dos que transpõem a vida
por entre os perigos do corpo e da alma.

Refugiando-nos sob o vosso olhar materno,
empreendemos nossas viagens, certos do êxito
que obtivestes quando vos encaminhastes
para visitar vossa prima Santa Isabel.

Em ascensão crescente na prática de todas as virtudes
transcorreu a vossa vida, até o ditoso momento
de subirdes gloriosa para os céus;
nós vos suplicamos, pois, ó Mãe querida:
velai por nós, indignos filhos vossos,
alcançando-nos a graça de seguir os vossos passos,
assistidos por Jesus e José, na peregrinação desta vida
e na hora derradeira de nossa partida para a eternidade.
Amém.

ORAÇÃO A NOSSA SENHORA ACHIROPITA

O culto a Nossa Senhora Achiropita teve início no final do século VI, com o eremita santo Efrém, na Calábria, Itália.

Virgem Santíssima, Mãe de Deus e nossa Mãe Achiropita, volvei o vosso olhar piedoso para nós e para as nossas famílias. Através dos séculos, pelos milagres e pelas aparições, mostrastes ser Medianeira perene de graças.

Tende compaixão das dificuldades em que nos encontramos e das tristezas que amarguram a nossa vida.

Vós, coroada Rainha, à direita do vosso Filho, cheia de glória imortal, podeis auxiliar-nos. Tudo o que está em nós e em volta de nós, receba as vossas bênçãos maternais.

Ó Rainha Achiropita, prometemos dedicar-vos toda a nossa vida para a honra do vosso culto e a serviço de nossos irmãos. Solicitamos de vossa maternal bondade os auxílios em nossas necessidades e a graça de viver sob a vossa constante proteção, consolados em nossas aflições e livres das presentes angústias.

Com confiança podemos repetir que não recorre a vós, inutilmente, aquele que vos invoca sob o título de "Achiropita".

Amém.

ORAÇÃO A NOSSA SENHORA DA ANUNCIADA

Devoção surgida em Setúbal, Portugal, por volta dos anos 1235 a 1250

Maria, Mãe de Deus!
Humildemente imploramos a vossa intercessão para alcançarmos a graça de compreender que vosso Filho Jesus é a fonte de todo eterno bem, infinitamente maior que a mais abundante chuva, símbolo da vossa bondade.
Amém.

Nossa Senhora Anunciada, rogai por nós!

ORAÇÃO A NOSSA SENHORA AUXILIADORA

Esta invocação mariana iniciou-se no ano 1571, pelo Papa Pio V. Mas a festa de Nossa Senhora Auxiliadora só foi instituída em 1816, pelo Papa Pio VII. Foi também adotada por Dom Bosco para sua Congregação Salesiana

Santíssima Virgem Maria
a quem Deus constituiu Auxiliadora dos Cristãos,
nós vos escolhemos como Senhora e Protetora desta casa.
Dignai-vos mostrar aqui vosso auxílio poderoso.

Preservai esta casa de todo perigo:
do incêndio, da inundação, do raio, das tempestades,
dos ladrões, dos malfeitores, da guerra
e de todas as outras calamidades que conheceis.

Abençoai, protegei, defendei,
guardai como coisa vossa
as pessoas que vivem nesta casa.

Sobretudo concedei-lhes a graça mais importante:
a de viverem sempre na amizade de Deus,
evitando o pecado.

Dai-lhes a fé que tivestes na Palavra de Deus,
e o amor que nutristes para com vosso Filho Jesus
e para com todos aqueles
pelos quais Ele morreu na cruz.

Maria, Auxílio dos Cristãos,
rogai por todos que moram nesta casa
que vos foi consagrada.

Amém.

CONSAGRAÇÃO
DO DOENTE A NOSSA SENHORA DE SCHOENSTATT

Querida Mãe Três Vezes Admirável de Schoenstatt, espiritualmente quero louvar-te e consagrar-me inteiramente a ti.

Aceita-me assim como sou e com tudo o que tenho. Aceita cada pulsação do meu coração, cada desejo e pensamento que passa pela minha mente, como prova do meu amor a ti.

Consagro-te o meu corpo e a minha alma, ofereço-te as minhas orações e sacrifícios e, sobretudo, confio-te a minha situação de doente com tudo o que ela inclui: dores, sofrimentos, renúncias, incapacidades... Tudo quero entregar a ti, com resignação e alegria interior, predispondo-me a aceitar a vontade de Deus assim como ela se manifesta.

Uno a minha oferta de amor a de todos os que já ofertaram a sua vida de sacrifícios ou o sacrifício da vida por ti.

Mãe, acolhe-me no teu coração e oferece-me ao Pai celeste em união com o teu divino Filho, imolado em todas as santas missas deste dia. Que a minha vida seja uma fecunda contribuição para a renovação do mundo e a salvação dos homens.

Amém.

ORAÇÃO A NOSSA SENHORA DA SALETE

Lembrai-vos, ó Nossa Senhora da Salete,
das lágrimas que derramastes por nós, no Calvário.
Lembrai-vos também dos cuidados incessantes
que tendes por vosso povo,
a fim de que, em nome de Cristo,
se deixe reconciliar com Deus.
Depois de tanto terdes feito por vossos filhos,
não podeis agora os abandonar.
Reconfortados por vossa ternura,
ó Mãe, eis-nos aqui suplicantes,
apesar de nossa infidelidade e ingratidão.
Não rejeiteis nossa oração, ó Virgem Reconciliadora,
mas atendei-nos e alcançai-nos a graça de que tanto necessitamos.
Ajudai-nos a amar Jesus acima de tudo.
Queremos enxugar as vossas lágrimas
por meio de uma vida santa
e assim merecer um dia viver convosco
e desfrutar a felicidade eterna do céu.
Amém.

ORAÇÃO A NOSSA SENHORA DO CARMO

Senhora do Carmo, Rainha dos Anjos,
canal das mais ternas mercês de Deus
para com os homens.
Refúgio e Advogada dos pecadores,
com confiança eu me prostro diante de vós
suplicando-vos que obtenha ... (pede-se a graça).

Em reconhecimento, solenemente prometo
recorrer a vós em todas as minhas dificuldades,
sofrimentos e tentações,
e farei tudo que ao meu alcance estiver,
a fim de induzir outros a amar-vos,
reverenciar-vos e invocar-vos
em todas as suas necessidades.

Agradeço-vos as inúmeras bênçãos
que tenho recebido de vossa mercê
e poderosa intercessão.

Continuai a ser meu escudo nos perigos,
minha guia na vida
e minha consolação na hora da morte.
Amém.

Nossa Senhora do Carmo,
advogada dos pecadores mais abandonados,
rogai pela alma do pecador
mais abandonado do mundo.

Ó Senhora, rogai por nós,
que recorremos a vós.

ORAÇÃO A NOSSA SENHORA DA ABADIA

Senhora, mãe de Deus,
que no cenáculo,
após a ascensão de Jesus ao céu,
presidistes as orações suplicantes dos Apóstolos
para a vinda do Divino Espírito Santo;
agora, que estais no paraíso à frente dos coros dos anjos e
santos, presidi, também, Senhora nossa rainha,
toda a nossa vida,
orientando-nos para a pátria celeste,
onde desejamos estar convosco cantando,
eternamente, as glórias de Jesus.
Amém.

Ó Senhora da Abadia,
aqui estão os vossos filhos
que, cheios de gratidão,
vieram vos agradecer:
agradecer o Dom da vida;
agradecer o Dom da fé;
agradecer a vida divina;
agradecer a vida de família e de amizades;
agradecer a vida da Igreja;
agradecer os cem anos de celebração desta festa.

Estes vossos filhos, Senhora e Mãe,
vieram também pedir e suplicar:
olhai, ó Mãe, estes vossos filhos e suas famílias;
olhai, ó Mãe, esta Paróquia e seu Vigário;
olhai, ó Mãe, esta diocese e seus Bispos;
olhai, ó Mãe, a Igreja e o Santo Padre, o Papa.

Fazei, ó Mãe e Rainha, que estes vossos filhos
sejam testemunhas das verdades libertadoras
anunciadas no Evangelho de vosso filho Jesus
realizando o seu reino também na terra.

Ó Mãe, estes filhos querem gozar um dia de vossa presença
na glória do céu,
onde de corpo e alma estais com o Pai,
reinais com vosso Filho Jesus
e viveis com o Espírito Santo.
Amém.

ORAÇÃO A NOSSA SENHORA DA CONCEIÇÃO

Ó incomparável Virgem da Conceição,
Mãe de Deus, Rainha dos Céus,
Maria, volvei para mim, imploro-vos,
olhar benigno de vossa misericórdia.

Livrai-me de minhas gravíssimas culpas
e, com o favor de vossa poderosíssima intercessão,
fazei que eu consiga da Divina Majestade
a salvação de minha alma, a perfeita saúde do corpo
e aquela graça da qual tanto necessito
e que vos recomendo,
a fim de que, servindo e louvando-vos nesta vida,
venha depois, um dia,
a amar-vos e agradecer-vos
para toda a eternidade.
Assim seja.

ORAÇÃO
A NOSSA SENHORA DA MEDALHA MILAGROSA

Ó imaculada Virgem,
Mãe de Deus e nossa Mãe:
ao contemplar-vos de braços abertos, derramando graças
sobre os que vos pedem cheios de confiança
na Vossa poderosa intercessão,
inúmeras vezes manifestada
pela Medalha Milagrosa,
embora reconhecendo a nossa indignidade
por causa de nossas numerosas culpas,
acercarmo-nos de vossos pés
para vos expor, durante esta Novena,
as nossas mais prementes necessidades... (faz-se o pedido).

Concedei-nos, pois, ó Virgem da Medalha Milagrosa,
este favor que, confiantes,
vos solicitamos para maior glória de Deus,
engrandecimento do Vosso Nome,
e bem de nossas almas;
e para melhor servirmos ao Vosso Divino Filho,
inspirai-nos um profundo ódio ao pecado
e dai-nos a coragem
de nos afirmar sempre verdadeiros cristãos. Amém.

ORAÇÃO A NOSSA SENHORA DE LORETO

Ó Virgem Imaculada, é com viva fé que meditamos nos grandes mistérios, que se realizaram nesta tua casa de Nazaré, tão pobrezinha, transportada depois pelos anjos para as colinas de Loreto.

Entre estas sagradas paredes, onde tu foste concebida sem pecado, e, adolescente, viveste de oração e de amor, o anjo te saudou chamando-te: "Cheia de graça". Tu respondeste com as milagrosas palavras que abriram o céu e fizeram descer o Salvador do mundo.

Junto a São José, na contemplação da palavra encarnada, na humildade e no trabalho, aqui serviste o Senhor preparando teu espírito ao grande sacrifício: com teu filho terias oferecido, no Calvário, a ti mesma, para te transformar em mãe de todos os homens, remidos pelo sangue de Jesus.

Depois de termos vivido em nossas casas na graça de Deus como tu o fizeste na tua, longe do pecado, obedientes à lei e à vontade divina, concede-nos, ó Maria, que possamos um dia morar na casa do Senhor, contigo, por toda a eternidade.

ORAÇÃO DO PEREGRINO A PÉ

A Nossa Senhora de Luján, Padroeira da Argentina

Oh, minha boa Mãe e Senhora de Luján,
eu, teu humilde peregrino,
agradeço-te por conceder-me a alegria de chegar a ti,
para contemplar-te e cantar-te meu amor.
Vim, passo a passo, trazendo em meus lábios
as ave-marias do rosário.

Chego exausto, mas feliz e contente, pois venho oferecer-te meu coração, meus sacrifícios e entregar-te todo o meu ser, meu presente e meu futuro.

Antes de adentrar teu santuário, prometo-te conservar o espírito dessa minha peregrinação a pé. Cada um de meus passos, mesmo com muita dificuldade, foram marcados por entusiasmo e ternura, pois sabia que cada vez mais me aproximavam de teu sonhado santuário. Do mesmo modo, que cada dia de minha vida seja como um passo em direção a teu trono celestial de glória para louvar-te e gozar de teu carinho eternamente.

Sou teu peregrino a pé! Acompanha-me durante toda a jornada de minha vida. Ampara-me ao terminar a minha peregrinação neste mundo e então poderás me recolher em teus braços para neles eu descansar por toda a eternidade.

Amém.

SAUDAÇÃO À MÃE DO CARMO

Mãe do Carmelo, ao aproximar-me de ti,
recordo a visita que fizeste ao lar de Zacarias.
Nas asas do amor voaste até a montanha.
Ao encontrar Isabel, saudaste-a.
E tuas palavras de cortesia fizeram João estremecer
prodigiosamente no seio materno.
Tua prima, cheia do Espírito Santo,
respondeu à tua saudação com uma jubilosa acolhida.

Bendita Senhora e minha Mãe,
eu repito hoje a felicitação de Isabel:
bendita és tu entre as mulheres
e bendito é o fruto de teu ventre.
Tu és feliz, porque acreditaste que se cumpriria
o que te foi dito da parte do Senhor!

Virgem do Carmo, minha Mãe,
aqui me tens, bem próximo a ti.
Meu coração, ó Mãe, repousa diante do teu,
para que o incendeies com teu amor
e o torne semelhante ao teu.

Virgem do Carmo, sou mendigo de Deus
e também teu mendigo,
por isso te peço que me socorra em minhas necessidades,
mas, sobretudo, as de todos os homens e mulheres,
meus irmãos.

Ó Mãe, recebe novamente minha saudação,
agora com as palavras do anjo:
Alegra-te, cheia de graça,
Senhor está contigo;
bendita és tu entre as mulheres!
Amém.

Virgem Maria, que foste declarada pelo Espírito Santo
Horto Fechado e Fonte Segura,
porque jamais admitiste outro Senhor
que o próprio Deus.

Por tua fidelidade constante,
lança-nos um olhar materno
e alcança-nos de Jesus,
que tens nos braços,
verdadeira conversão de vida,
amor a Deus e ao próximo
e também a graça que pedimos. Amém.

ORAÇÃO A NOSSA SENHORA DO PERPÉTUO SOCORRO

Ó Senhora do Perpétuo Socorro,
mostrai-nos que sois verdadeiramente nossa Mãe
obtendo-me o seguinte benefício: (faz-se o pedido)
e a graça de usar dele para a glória de Deus
e a salvação de minha alma.
Ó glorioso Santo Afonso, que por vossa confiança
na bem-aventurada Virgem
conseguistes tantos favores e tão perfeitamente provastes,
em vossos admiráveis escritos,
que todas as graças nos vêm de Deus
pela intercessão de Maria,
alcançai-me a mais terna confiança
para com nossa Mãe do Perpétuo Socorro
e rogai-lhe que, com instância,
me conceda o favor que reclamo
de seu poder e bondade maternal.

Eterno Pai, em nome de Jesus
e pela intercessão de nossa Mãe do Perpétuo Socorro,
peço-vos me atendais para vossa glória
e bem da minha alma. Amém.

Nossa Senhora do Perpétuo Socorro,
rogai por nós.

CONSAGRAÇÃO A NOSSA SENHORA DO PILAR
Patrona da Espanha

Virgem Imaculada! Minha Mãe! Maria!
Eu vos renovo, hoje e para sempre
a consagração de todo o meu ser
para que disponhais de mim
para o bem de todas as pessoas.

Somente vos peço, minha rainha e mãe da Igreja,
força para cooperar fielmente
na vossa missão de trazer o
reino de Jesus ao mundo.

Ofereço-vos, portanto, Coração Imaculado de Maria,
as orações e os sacrifícios deste dia,
para que, fiéis à nossa consagração,
sejamos igualmente disponíveis a colaborar convosco
na construção de um mundo novo,
ó Maria concebida sem pecado!

Rogai por nós que recorremos a vós
e por todos quantos recorrem a vós,
de modo particular as famílias
de nossa comunidade paroquial,
que vos veneram com o título de
Senhora do Pilar.

ORAÇÃO A
NOSSA SENHORA DO ROSÁRIO DE POMPEIA

Deus e Pai de Nosso Senhor Jesus Cristo,
que nos ensinastes a recorrer a vós
e com confiança chamar-vos de "Pai Nosso, que estais nos Céus".
Ó Senhor, infinitamente bom,
a quem é dado usar sempre de misericórdia e perdoar;
por intercessão da Imaculada Virgem Maria, ouvi-nos,
a nós que nos gloriamos do título de devotos do Rosário,
aceitai as nossas humildes orações
dando-vos graças pelos benefícios recebidos,
e tornai perpétuo e cada dia mais glorioso o
trono que lhe elevastes no Santuário de Pompeia,
pelos merecimentos de Jesus Cristo, Senhor Nosso.
Amém.

Rogai por nós Rainha do Sacratíssimo Rosário,
para que sejamos dignos das promessas de Cristo.
Amém.

ORAÇÃO A
NOSSA SENHORA DO SAGRADO CORAÇÃO

Lembrai-vos, ó Nossa Senhora do Sagrado Coração,
de que sois a Mãe de Jesus, a bendita entre as mulheres.

Temos confiança em vós, porque estais unida a Cristo,
vosso Filho e nosso Senhor.
Sabemos de nossa fraqueza e de nossa miséria,
e, por isso, vimos implorar a vossa proteção.

Ajudai-nos, ó Mãe querida. Dai-nos força e coragem.
Conservai-nos na esperança, até o dia de nosso encontro
definitivo com Deus, nosso Pai.
Ó Mãe carinhosa, libertai-nos do egoísmo,
alcançai para o mundo a paz e o amor.

Concedei-nos em especial
os favores que vos suplicamos...
Apresentai estes nossos pedidos
e ações de graças ao vosso Filho
e fazei, ó Maria, que venha a nós o seu Reino,
vós que sois a Senhora do sagrado Coração.

Amém.

ORAÇÃO A
NOSSA SENHORA DE FÁTIMA

Santíssima Virgem,
que nos montes de Fátima
vos dignastes revelar a três pastorinhos
os tesouros de graças
contidos na prática do vosso santo Rosário,
incuti profundamente em nossa alma o
apreço em que devemos ter esta devoção,
a vós tão querida,
a fim de que, meditando os mistérios da Redenção,
que neles se comemoram,
aproveitemo-nos de seus preciosos frutos
e alcancemos a graça (...)
que vos pedimos, se for para a glória de Deus
e proveito de nossas almas.
Assim seja.

ORAÇÃO A
NOSSA SENHORA DE LOURDES

Bendita sejais, Virgem Puríssima,
que por dezoito vezes vos dignastes aparecer na gruta de Lourdes, toda imersa nas irradiações do vosso próprio esplendor,
da vossa doçura, da vossa magnificência
e ali vos revelastes a humilde e ingênua criança, para que, no êxtase de sua contemplação, vos ouvisse dizer:
"Eu sou a Imaculada Conceição".
Bendita sejais, Senhora, na vossa Imaculada Conceição.
Bendita sejais, pelos extraordinários benefícios que não cessais de espargir naquele lugar.
E nós, ó Maria, pelo vosso amor de Mãe
e pela glória que vos tributa a santa Igreja,
nós vos conjuramos que realizeis as esperanças de conversão, de santificação, de perseverança, numa palavra, as esperanças de salvação que nasceram em nós com a proclamação do dogma da Imaculada Conceição.
Fostes Virgem Maria, Imaculada na vossa Conceição. Rogai por nós ao Pai, cujo Filho Jesus, concebido do Espírito Santo, destes à luz.
Amém.

CONSAGRAÇÃO
AO IMACULADO CORAÇÃO DE MARIA

Ditado por Nossa Senhora à vidente Jelena Vasilij, em Medjugorje, em 28/11/1983

Ó Coração Imaculado de Maria, repleto de bondade, mostrai-nos o vosso amor.

A chama do vosso coração, ó Maria, desça sobre todos os homens!

Nós vos amamos infinitamente!

Imprimi nos nossos corações o verdadeiro amor, para que sintamos o desejo de vos buscar incessantemente.

Ó Maria, vós que tendes um coração suave e humilde, lembrai-vos de nós quando cairmos no pecado.

Vós sabeis que todos os homens pecam.

Concedei que, por meio do vosso imaculado e materno coração, sejamos curados de toda doença espiritual.

Fazei que possamos sempre contemplar a bondade do vosso materno coração e nos convertamos por meio da chama do vosso coração.

Amém.

ORAÇÃO A
NOSSA SENHORA DA ÁFRICA
Missionários de Nossa Senhora da África

Nossa Senhora da África, você que está presente nas religiões africanas, em que celebram a vida e exaltam a mãe;

Você, que é venerada pelos povos muçulmanos como Mãe de Jesus e a mulher bendita entre todas as mulheres; nós lhe louvamos, invocamos e bendizemos com todos os homens e mulheres da África, sem distinção de língua, de raça e de cor.

Você, que estava com os apóstolos no início da Igreja, sustente agora e sempre o ardor dos apóstolos de hoje para que anunciem aos povos africanos a grande libertação que é para os homens o seu filho Jesus.

Nossa Senhora da África, rainha da paz, obtenha a paz para os países africanos divididos pelo rancor, pelo tribalismo, pelo racismo ou pelos preconceitos que destroem a comunhão e o amor.

Sustente-nos para que todo homem seja respeitado e amado como filho de Deus, cidadão do mundo e nosso irmão.

Que a África inteira possa lhe dar o nome sob o qual nós lhe invocamos, e que, unidos aos nossos irmãos africanos, juntos digamos: Nossa Senhora da África, lembre-se de nós!

Ajude-nos cada dia, ó Nossa Senhora, Rainha da África, a sermos para os homens verdadeiras testemunhas da vida, da verdade, da reconciliação, do perdão e do amor.

Reze, pois, conosco, Rainha dos apóstolos e mãe da África, a fim de que o dono da messe envie operários para que o Reino de Deus se estenda ao continente sofrido da humanidade.

Que pela sua intercessão, Jesus seja glorificado e nosso Pai adorado em Espírito e Verdade, pelos séculos dos séculos.

Amém.

A NOSSA SENHORA DAS VITÓRIAS

Júlio Fragata

Senhora, que nasceste imaculada, guarda a minha vida sem mancha: que eu não negue nada ao Senhor.

Senhora, Mãe de Jesus, faz crescer Jesus em mim; prepara-o em mim para ir à Paixão e à Ressurreição para salvação dos meus irmãos.

Senhora, minha Mãe, guarda o meu coração para que saiba amar só como Jesus ama e só em Jesus.

E sê sempre em mim a "Senhora das Vitórias".

PRECE A MARIA
Jules Carillion

Eu me ajoelho a teus pés, ó minha Mãe
para te louvar por mais este dia.
Tu, que és tão santa,
escuta a minha prece!
Vela por mim a todo instante.
Se na aflição me vires triste,
ou me encontrares desanimado,
por tua bondade, consola o meu sofrer.
Vem em meu auxílio e cuida de mim.
Eu me ajoelho a teus pés, ó minha mãe.
Vela por mim agora e sempre.
Amém.

LADAINHA EVANGÉLICA

Santa Maria, que não sabias como se realizaria em ti o anúncio do anjo (Lc 1,34).

Roga por nós ou aumenta nossa fé.
(Repete-se após cada invocação)

Santa Maria, que não entendias, mas meditavas em teu coração (Lc 2,19.51).

Santa Maria, que não compreendeste certa vez o comportamento de Jesus para contigo e com José (Lc 2,48).

Santa Maria, que viveste na fé e na esperança, apesar de teres uma espada atravessando o teu coração (Lc 2,35).

Santa Maria, que sofreste no silêncio as dúvidas de José (Mt 1,18).

Santa Maria cheia de confiança no Senhor, em tua fuga para o Egito (Mt 2,13).

Santa Maria, que tiveste a certeza de que o Todo-Poderoso fez por ti grandes coisas (Lc 1,49).

Santa Maria, que ficavas maravilhada com as coisas que se diziam de teu filho (Lc 2,33).

Santa Maria, que conservavas fielmente no teu coração tudo o que acontecia (Lc 2,51).

Santa Maria, que continuaste confiando até quando parecia não teres sido escutada (Jo 2,5).

Santa Maria, feliz porque acreditaste (Lc 1,45).

Santa Maria, que uniste os corações dos Apóstolos que oravam e esperavam contigo (At 1,14).

Santa Maria, que nos pedes que façamos tudo o que Jesus nos ordenar (Jo 2,5).

Santa Maria, servidora humilde que confiaste em Deus (Lc 1,38).

MARIA, MÃE DOS MORTAIS
Oração das Horas, Comum de Nossa Senhora,
I Vésperas

Maria, Mãe dos mortais,
as nossas preces acolhes;
escuta, pois, nossos ais,
e, sempre, sempre nos olhes.

Vem socorrer, se do crime
o laço vil nos envolve.
Com tua mão que redime
a nossa culpa dissolve.

Vem socorrer, se do mundo
o brilho vão nos seduz
a abandonar num segundo
a estrada que ao céu conduz.

Vem socorrer, quando a alma
e o corpo a doença prostrar.
Vejamos com doce calma
a eternidade chegar.

Tenham teus filhos, na morte,
tua assistência materna.

E seja assim nossa sorte,
o prêmio da Vida eterna.

Jesus, ao Pai seja a glória.
Seja ao Espírito também.
E a vós, ó Rei da Vitória,
Filho da Virgem. Amém.

NA TERRA RECORDAMOS
Do Ritual Romano de Bênçãos

Na terra recordamos
teu gozo e tua dor,
ó Mãe, que contemplamos
em glória e resplendor.

Ave, quando concebes,
visitas, dás à luz,
e levas e recebes
no templo o teu Jesus.

Ave pela agonia,
flagelo, espinho e cruz:
a dor da profecia
à glória te conduz.

Ave, sobre o teu Filho,
o Espírito nos vem;
deixando o nosso exílio,
ao céu sobes também.

Cento e cinquenta rosas,
nações, vem colher;

coroas luminosas
à Virgem Mãe tecer.

Louvor ao Pai e ao Filho
e ao Espírito também;
dos três, divino auxílio,
ao nosso encontro vem.

DEUS VOS SALVE, VIRGEM, MÃE IMACULADA
Ofício da Imaculada Conceição

Deus vos salve, Virgem, Mãe Imaculada,
Rainha de clemência, de estrelas coroada.
Vós, sobre os anjos, sois purificada,
De Deus à mão direita estais de ouro ornada.

Por vós, Mãe de Graças, mereçamos ver
a Deus nas alturas com todo o prazer.
Pois sois esperança dos pobres errantes
e seguro porto aos navegantes.

Estrela do mar, a saúde certa,
e porta que estais para o céu aberta.
É óleo derramado, Virgem, vosso nome,
e os vossos servos vos hão sempre amado.

Ouvi, Mãe de Deus, minha oração,
toquem em vosso peito os clamores meus.

ANTÍFONAS MARIANAS

ANGELUS
(Durante o ano)

O anjo do Senhor anunciou a Maria.
E ela concebeu por obra do Espírito Santo.
Ave, Maria...

Eis aqui a serva do Senhor.
Faça-se em mim segundo a vossa palavra.
Ave, Maria...

E o Verbo se fez homem.
E habitou entre nós.
Ave, Maria...

Rogai por nós, santa Mãe de Deus
para que sejamos dignos das promessas de Cristo.

Oremos: Derramai, ó Deus, a vossa graça em nossos corações, para que, conhecendo pela mensagem do Anjo a encarnação do vosso Filho, cheguemos, por sua paixão e cruz, à glória da ressurreição. Por Cristo, nosso Senhor. Amém.

Glória ao Pai, e ao Filho e ao Espírito Santo.
Como era no princípio, agora e sempre. Amém. (Repete-se três vezes...)

RAINHA DO CÉU
(Tempo da Páscoa)

Rainha do céu, alegrai-vos, aleluia!
Pois o Senhor, que merecestes trazer em vosso seio, aleluia, ressuscitou, como disse, aleluia.
Rogai a Deus por nós, aleluia!

Alegrai-vos e exultai, ó Virgem Maria, aleluia!
Porque o Senhor ressuscitou verdadeiramente, aleluia!

Oremos: Ó Deus, que vos dignastes alegrar o mundo com a ressurreição do vosso Filho, concedei-nos por sua Mãe, a Virgem Maria, o júbilo da vida eterna. Por Cristo, nosso Senhor. Amém.

(Concede-se indulgência parcial ao fiel que piedosamente recitar estas orações de acordo com o Tempo. Conforme louvável costume, estas orações se recitam de manhã, ao meio-dia e à tarde.)

AVE, RAINHA DO CÉU
(Tempo da Quaresma)

Ave, Rainha do céu;
ave, dos anjos Senhora;
ave, raiz, ave, porta;
da luz do mundo és aurora.
Exulta, ó Virgem tão bela,
as outras seguem-te após;
nós te saudamos: adeus!
E pede a Cristo por nós!
Virgem Mãe, ó Maria.

Ó MÃE DO REDENTOR
(Tempo da Quaresma)

Ó Mãe do Redentor, do céu ó porta,
ao povo que caiu, socorre e exorta,
pois busca levantar-se, Virgem pura,
nascendo o Criador da criatura:
tem piedade de nós e ouve, suave,
o anjo te saudando com seu Ave!

À VOSSA PROTEÇÃO

À vossa proteção recorremos, santa Mãe de Deus; não desprezeis as nossas súplicas em nossas necessidades, mas livrai-nos sempre de todos os perigos, ó Virgem gloriosa e bendita.

ÍNDICE

Introdução 7
A oração (Chiara Lubich) 11
A oração a Maria (Paulo VI) 12

Deus precisou de Ti (Pedro Casaldáliga) 13
À vossa proteção (*Sub tuum praesidium*) 15
Ave-Maria (Forma antiga) 17
Ave-Maria (forma atual) 18
Do Ofício de Nossa Senhora 19
Ladainha de Santo Efrém (Santo Efrém, o Sírio, 306-373) 20
Hino à Virgem Maria (São João Crisóstomo, 344-407) 22
Oração à Santíssima Mãe de Deus (Santo Efrém, séc. IV) 25
Hino à Mãe de Deus (Sinésio de Cirene) 26
Salve, ó Maria (São Cirilo de Alexandria) 28
Louvor de Maria, Mãe de Deus
(São Cirilo de Alexandria) 30
Salve (Teodoro de Ancira) 31

Ó Virgem toda santa (Basílio de Selêucia) 32

Oração à Mãe de Deus (Balai, bispo de Alepo) 33

Saudação à Mãe (Teódoto de Ancira, séc. V) 34

Bem-aventurada (Tiago de Sarug) 35

Salve (Sofrônio de Jerusalém) 36

Eu te rogo, Virgem Santa (Santo Idelfonso) 37

A virgindade perpétua de Santa Maria
(Santo Idelfonso de Toledo) 38

Louvor (André de Creta) 40

Meu único alívio (Germano de Constantinopla) 42

Ave, Senhora (Hino acatista) 43

Hino acatista à Mãe de Deus (Romano, o Melódio) 44

Vossa alma toda está sob a ação divina
(João Damasceno) 45

Bendita sois vós entre as mulheres (São Sofrônio, bispo) 48

Auxílio dos Cristãos
(São Germano de Constantinopla, séc. VII) 50

Alegra-te, delícia do Pai (São Taraiso) 51

Hino à Virgem assunta ao céu (Santo Odilon) 53

Ave, sempre bela (Hino popular do século IX) 54

Saudação a Maria (São Pedro Damião, 1007-1072) 56

Ó vós, ternamente poderosa
(Santo Anselmo, 1033-1109) 57

Salve-Rainha (Hermano Contracto) 60

Augusta Mãe do Redentor (Hermano Contracto) 61

Ó santíssima Senhora (Edmero) 62

Lembrai-vos (São Bernardo) 65

Nossa Senhora das Dores (São Bernardo) 66

À espera da resposta de Maria (São Bernardo) 67

Santíssima Virgem, Mãe de Deus (Nicolau) 69

Salve, ó Mãe do Salvador (Adão de São Vitor) 71

Sabedoria eterna (Henrique Suso) 73

Mãe da Misericórdia (Henrique Suso) 75

Mediação (Henrique Suso) 76

Excelsa Mãe de Deus (Santo Antônio de Pádua) 77

Saudação à Virgem Maria (Francisco de Assis) 79

Ave, Maria (Raimundo Lullo) 81

Ó Mãe de Deus, a vós recorro (Guilherme) 83

Virgem Maria (São Boaventura) 85

Hino Mariano (São Boaventura) 89

Stabat Mater (Jacopone de Todi) 92

Eia, Maria (Frei Conrado de Saxónia) 94

Maria, Templo da Santíssima Trindade
(Santa Catarina de Sena) 96

Cântico a Maria (Bernardino de Sena) 98

Atraí-me para vós, ó virgem Maria (Raimundo Jordão) 100

Pela Igreja e pelo Vigário de Cristo
(Santa Catarina de Sena) 102

Súplica a Maria (Santa Catarina de Bolonha, século XV) 103

Súplica a Maria (Frei Tomé de Jesus) 105

Ó Virgem Maria (São José de Anchieta) 106

Ó Virgem Mãe (Erasmo de Rotterdam) 108

Stella Maris (Lope de Vega) 109

Oração para obter uma boa morte
(Santo Afonso de Ligório) 110

Prece a Maria (São Leonardo de Porto Maurício) 111

Ato de Consagração à Virgem (Frei Melquior de Centina) ... 112

Oração filial e apostólica (Santo Antônio Maria Claret) 114

Ave, Maria (Enrico Pea) 115

Na hora da morte (Daniel Brottier) 116

Mãe querida (São Francisco de Sales) 117

Oração a Maria (São Tomás de Aquino) 118

Jesus confiou a Igreja a ti (Chiara Lubich) 119

Maria, Mãe de Jesus (Santa Teresa de Calcutá) 120

Maria Rainha (Pio XII) 121

Oração das mulheres cristãs a Maria (Pio XII) 123

Oração a Maria, mãe da Igreja (Paulo VI) 125

Oração do Papa João Paulo II 127

Oração a Nossa Senhora Aparecida 128

Consagração do mundo ao Coração de Maria 130

Teu nascimento (Do Rito Armênio) 132

Louvor (Anáfora etíope) 133

Oração a Maria, Mãe de Deus (Da Liturgia Alexandrina) 135

Panaghia Psychosostria (Da liturgia bizantina) 136

Ó Mãe de bondade 138

Ó Maria, Virgem e Mãe santíssima 139

Bendita és Tu (Lorenzo Amigo) 140

Oração de um jovem (João XXIII) 141

Oração a Nossa senhora (Léonce de Grandmaison) 142

Quando será? (São Maximiliano Kolbe) 143

Senhora do silêncio (Inácio Larrañaga) 145

Hino à Imaculada Conceição (Tradicional) 147

Mãe do Céu Morena (Padre Zezinho) 149

Consolo do mortal (Antonio Arnao) 151

A Nossa Senhora das Vitórias (Júlio Fragata) 153

Livrai-nos, Senhora! (João Paulo II) 154

Oração a Nossa Senhora da Penha (Dom João Nery) 155

Oração a Nossa Senhora dos Prazeres
(Pe. Antônio Carlos D'Elboux) 156

Oração a Nossa Senhora da Boa Viagem
(Dom Antônio dos Santos Cabral) 158

Oração a Nossa Senhora Achiropita 159

Oração a Nossa Senhora da Anunciada
(Devoção surgida em Setúbal, Portugal) 160

Oração a Nossa Senhora Auxiliadora 161

Consagração do doente a Nossa Senhora de Schoenstatt.... 163

Oração a Nossa Senhora da Salete 164

Oração a Nossa Senhora do Carmo 165

Oração a Nossa Senhora da Abadia 167

Oração a Nossa Senhora da Conceição 169

Oração a Nossa Senhora da Medalha Milagrosa 170

Oração a Nossa Senhora de Loreto 171

Oração do Peregrino a pé
(A Nossa Senhora de Luján, Padroeira da Argentina) 172

Saudação à Mãe do Carmo 173

Oração a Nossa Senhora do Perpétuo Socorro 175

Consagração a Nossa Senhora do Pilar
(Patrona da Espanha) 176

Oração a Nossa Senhora do Rosário de Pompeia 177

Oração a Nossa Senhora do Sagrado Coração 178

Oração a Nossa Senhora de Fátima 179

Oração a Nossa Senhora de Lourdes 180

Consagração ao Imaculado Coração de Maria 181

Oração a Nossa Senhora da África 182

A Nossa Senhora das Vitórias (Júlio Fragata) 184

Prece a Maria (Jules Carillion) 185

Ladainha evangélica 186

Maria, Mãe dos mortais (Oração das Horas) 188

Na terra recordamos (Do Ritual Romano de Bênçãos) 190

Deus vos salve, Virgem, Mãe Imaculada
(Ofício da Imaculada Conceição) 192

Antífonas marianas 193

Angelus (Durante o ano) 195

Rainha do céu (Tempo da Páscoa) 196

Ave, Rainha do céu (Tempo da Quaresma) 197

Ó Mãe do Redentor (Tempo da Quaresma) 198

À vossa proteção 199

A marca FSC® é a garantia de que a madeira utilizada na fabricação do papel deste livro provém de florestas que foram gerenciadas de maneira ambientalmente correta, socialmente justa e economicamente viável.

Este livro foi composto com as famílias tipográficas Futura e Segoe UI e impresso em papel Offset 63g/m² pela **Gráfica Santuário**.